平凡社新書
952

美意識を磨く

オークション・スペシャリストが教えるアートの見方

山口桂
YAMAGUCHI KATSURA

HEIBONSHA

美意識を磨く●目次

まえがき……8

第1章　絵を教養ではなく「自分事」として見る……11

1　なぜその絵に惹かれるのか……12

「でろり」の系譜／「でろり」の日本画家たち／「景色」がいい／日本美術の特殊性
セザンヌより禅の話を／「絵画の見方」の基本は心を揺り動かすこと
高級、あるいは高度な美意識とは？／アートは「窓」である
絵を自分事として見始めた原点／奇想の画家はアウトサイダー

2　一部屋ごとのトップの絵を決める……34

なぜ好きかを説明できるか／一部屋ごとに採点する／古美術はかつての現代美術
能面を通して歴史と出合う／陰翳礼讃（いんえいらいさん）の美／浮世絵と印象派の出合い
ビジネスもアートもまずはスタンダードから／広告業界からの転身
父のスパルタ日本美術特訓／欧米の美術館にある日本美術を目の当たりに
日本美術との再会

第2章　一流のものを見よ、触れよ――美意識の高め方……63

1　真のグルメはA級もB級も分かる……64
いいものだけに触れる／伝統芸能の「基準値」
伝統芸能の新しい試みが成功するには？／楽焼に見る伝統と革新
2　美には絶対値がある……71
美術品に値段を付けて売る仕事／真贋を見極める／弟子に描かせる、工房で描く
骨董と古美術の違い／見る眼を試すテスト

第3章　オークションの現場からアートが見える……87
1　外国人が好む日本美術……88
人気のある日本美術／日本美術がワールドマップに戻った時／〝用の美〟を求める
「間」の文化／非マッチョで繊細？／バラバラになり流転した日本美術
龍安寺の襖絵の里帰り／なぜ中国美術のセールをニューヨークで？
自国所蔵アートの流出を防ぐには
2　コレクター秘蔵品は〝フレッシュ〟である……111
若冲の大コレクター、ジョー・プライス／お金のある場所にアートは集まる
オークションに見る国民性の違い／人目に触れていないものは値が付く

アートは投資対象にならない？／〝意識高い系〟の画家でないと生き残れない
現代美術マーケットが元気な理由／ふさわしい買い手とつなぐプライベート・セール

3 世界レベルの美術館を日本につくる、という発想……129

「自分たち」の美術館をつくるには／所蔵品の入れ替え／美術館を軸にした観光誘致

第4章 アートとの向き合い方、お教えします……139

1 アートとビジネスセンスは関連するか……140

台所のゴーギャン／ジーンズ姿の大統領／空き時間にいい話が舞い込む
IT長者と日本美術／ビジネスにはデータと論理による説得を
一人チェスとラグビーに見る交渉術

2 アートでディスカッションする……150

能を知らないで文化庁の幹部？／厳しい批評がない日本
海外美術館の学芸員は大学教授クラス／バルテュス作品は不適切か？
ヒトラーとローマ法王を題材にしたアート作品
「文部科学省に物申す」会田作品を巡る議論
あいちトリエンナーレをどう考えるか／アートは時代のカナリア

第5章 アートの見方、お教えします…………169

1 絵を頭で見るか、心で見るか…………170

さまざまに解釈される絵／絵は無心に見る／知の楽しみ／絵の美しさと理解は違う

2 プロには「検分」という絵の見方がある…………180

絵は近づいて観る／トレイニーとして一年の修練／作品の身許調べ「カタロギング」

欧州エリートの怒声と叱責／またしても「君はよく耐えた」の評価

3 作品に即しての具体的な鑑賞手ほどき…………192

七つの鑑賞法／個別鑑賞法／規格外の画家／生命力の木／剥がれない絵具

後代になるほど、ゆるゆるに／経年後の世界／都出来、田舎出来

いろいろな「継ぎ」の技法／釉のかかり方を見る／味がある、味がない／どこが正面か

傑作「歌満くら（うたまくら）」／サイズが小さくなる／画家本人が注目される

鑑賞力を高める50のリスト…………244

あとがき…………268

まえがき

今「アート感覚をビジネスに活かす」「エリートは美意識を鍛えるべき」というフレーズをよく巷間で目にする。これらを目にしたり聞いたりする時、日々アートを観て触って、コレクターやディーラー、美術館の人などに会っている私からすると、確かにアートにはそういう側面もあるが、その前にやるべきことがあるのでは？　と思ってしまう。

「その前にやるべきこと」とは、アートを、特によいアートをたくさん観て目を肥やし、座辺に置いて日々楽しみ、愛で、発見し、アートを口先ではない「自分事」とすること……なぜならアートは自分を映す鏡なのだから。

さて、私は美術史家ではないので、この本は学術書ではない。また、オークション会社の代表の肩書をもっているが、投資ビジネス書でもない。

ではどんな本かというと、日本の古い伝統文化から逃げ遠ざかった私が、なぜ今そこに舞い戻り日本美術品を生業としているか、また人生の三分の一以上を海外で過ごした私の眼に、日本とその美術界がどう見えるか、そしてアートを自分事にするための提案を含めた、いわば「手引き書」のようなものだ。

　また本文でも触れているが、アートは自分の知らない世界への窓であり、ディスカッションの入り口でもある。だから読者の皆さんには、本書に書かれた私の提案をとりあえず考え、実践してみてもらい、その後、是非とも私の提案を「批評」をして、自分なりの「見方」を発見してほしい。

　そして願わくば、会社のマネジャーである私のもう一つの仕事である「オークション・スペシャリスト」としての、アートとの関わり方やその見方、そしてちょっと大袈裟ではあるがアートへの（時折「偏」）愛が、皆さんに少しでもアートに興味をもち→身近に感じて→目を肥やし→美意識を磨きながらアートと生きることを楽しむためのお手伝いになれば幸いである。

第1章　絵を教養ではなく「自分事」として見る

1　なぜその絵に惹かれるのか

「でろり」の系譜

私たちの業界には独特なことばがある。例えば、「でろり」。何か秘めやかなもの、しかしどこかぬめっとして怪しい雰囲気のものをいう。そして、エロティックでもある。そういった複雑なものを、そのことばは含んでいる。

この不思議なことばの言い出しっぺは、浮世絵の収集家でもあった近代洋画家の岸田劉生（りゅうせい）で、彼が京都南座の六月公演を観た所感を寄稿した、大正一五年（一九二六）刊の『新演芸』の中に、そのことばは出てくる。実際、彼の描く坂も静物も少女も、何かがおかしい――超写実的なはずなのにどこか歪んでいたり、全体にぬめっとした感じを受ける。私はそんな岸田の特に静物画に惹かれ、手に入れられるものなら手に入れたいと思うほど、惚れ込んでいる。

岸田が自著『初期肉筆浮世絵』で強く論じた、その「でろり」系の絵画といえば、現在MOA（エムオーエー）美術館にある「湯女図（ゆなず）」に触れずにはおれない。本作は桃山時代から江戸時代にかけての作品で、すぐ後に触れる岩佐又兵衛の周辺にいた人物が描いたのではないかとの説もあるが、日本画における妖艶な女の系譜は、ここから始まるといってもいい。

この絵に描かれた湯女とは、お風呂で客の身体や髪の毛を洗ったりしていたのが、次第に酒食の相手をするようになった女性をいう。画中では、それぞれ着物の柄の違う女が六人、散歩でもしながら客の噂話か何かしているのか、親しげな感じで描かれている。

左の二人が右を振り返り、真ん中の二人がやや左上に目線をやって、右の二人が口に袂を翳して会話をしている。なんだか彼女たちの嬌声が聞こえてきそうだ。その右の二人の女性の一人は頭に三角巾を付け、この絵の中で唯一「素人」かもしれない。もう一人は笠をかぶっている。そういう三組の対比を描いているが、背景に何も描かれないが故に、全体に浮遊感がある。

婀娜っぽい感じもあれば、自分たちの仕事に誇りをもっているような雰囲気も伝わってきて、二一世紀の現代ならばフライト・アテンダント、少し前だったらバスガイドとかデパートのエレベーターガールが数人で颯爽と歩いているイメージに近い。

さて、先述した岩佐又兵衛は一六世紀から一七世紀にかけて活躍した絵師である。私はこの絵師が大好きで、桃山・江戸、いわゆる近世の古美術の世界に入っていったきっかけとなった人物だ。

この又兵衛は故事来歴に材を取りながらも、そこに大人しく収まっているような絵師ではなかった。彼の絵は当時としては構図が変わっていたり、人物描写も異様なほどリアルだったりする。中でも代表作の一つである、「湯女図」と同じMOA美術館所蔵の「山中(やまなか)常盤(ときわ)物語絵巻」には、笑いながら女を刺殺する侍や、敵に犯され茫然自失の女、スプラッター・ムービーのように血を噴き出す武士がこれでもかと描かれる。この絵巻を観る者は、「いやなものを観たな」と思いながらも、一度はそらした視線がすぐさまその絵に戻っていってしまうほどに蠱惑的(こわくてき)なのだ。

昭和の時代、これほどまでにリアルな表現が又兵衛の時代に可能だったかということで、論争になった。人物描写を取っても、動きがあまりにもアクロバティックだったり、超リアルな苦悶や愉悦の表情を浮かべたりと多彩で、もっと後の世の作ではないか、と疑われたのも当然だろう。

又兵衛と同時代のヨーロッパの画家、例えばルーベンスやブリューゲル、プッサン等と比べてみても、彼の作品はかなり異彩を放っていると思う。中世から近世に入りかけの時代に、「近代的」人間描写を先取りしているところがある。

彼の来歴について少し触れると、父親は荒木村重(むらしげ)といって、信長に三五万石を与えられるほど大層信頼され、後に「利休十哲」に数えられるまでの茶人ともなった人物である。

その村重がどういう理由か突然謀反に及んだ。信長は自分に敵対する人物は、一族まで根絶やしにして、用心する人物である。ところがこの村重は、何と家族を見殺しにして投降してしまう。当然、一族は虐殺・自害となったが、幸いにも当時二歳だった又兵衛は乳母に抱かれて逃げ、一死を免れた――何とドラマティックな人生なのだろう！

能登で絵師として活躍し、後に江戸に出て来る又兵衛は、当時有名だったらしく、歌舞伎には「浮世又平」のモデルとして登場する。「浮世」とは現世・俗世間という意味である。当世の庶民の様子を描いたのが浮世絵で、幕府や宮廷お墨付きの狩野派や土佐派のような立派な家柄の絵師ではなく、正統な画派に属さず、伝統的な画法も学ばないような町絵師と呼ばれる人たちが、現世風俗を描くようになっていく。

岩佐又兵衛自身の作品には明らかな風俗画はないともいわれるが、それでも歌舞伎に名を残すだけの「風俗画的」ポピュラリティはあったということだろう。

又兵衛（芝居では又平）が出てくるのが、歌舞伎「傾城反魂香」である。一七一九年初演のこの狂言は、元々近松門左衛門作の人形浄瑠璃。劇中の又平は腕はよいが吃音の町絵師で、「土佐」の名を欲しがっている。「土佐」とは土佐派の「土佐」で、又平にはそういうブランド志向があった、という設定である。

又平は師匠にその願いに行くが断られ、絶望する。そして人生最後の作品のつもりで手水鉢に自画像を描くと、その絵が鉢を突き抜けて出ていく。この奇跡の話を聞いた師匠が「土佐」光起の名を又平に授ける、という話だが、一介の町絵師である又平の苦悩を主題にし、解決策を絵による奇瑞に置き、大団円を迎えるわけで、ここにはおどろおどろしい又兵衛は出てこない。

「でろり」の日本画家たち

「でろり」の系譜の話に戻る。岩井志麻子氏の小説『ぼっけえ、きょうてえ』のカバーを飾った不気味な女の絵がある。作者は甲斐庄楠音……まずその名前からして、ただ者ではないことが何となくお分かりになるだろう。彼は大正時代の日本画家で、おどろおどろしい美人画を多く残した。が、その「美人」の多くは、目に隈をもち、病んでいるような、生気が抜けた感じの遊女や舞妓ばかりで、彼の作品が絵画展への出品を断られたというのもうなずける。正直、楠音のどの「美人画」を観てもいや〜な感じをもつのだが、それでもどうにも気になって仕方がない。

もう一人挙げれば、「画壇の悪魔派」と呼ばれた、北野恒富がいる。明治から昭和前期にかけての日本画家だが、彼の大正二年（一九一三）頃の作で、近松門左衛門の「心中天網島」から題材を取った「道行」という屏風では、右隻右端に男（紙屋治兵衛）が背中を向けて立ち、ほっかむりをして右の横顔を見せている。その左肩に女（遊女小春）が頬を預けてもたれかかっている。手に墨染めの薄衣をもってはいるが、裾は地面に引きずってしまっている。

ちょっと離れて彼らの左上には薄墨でカラスが描かれ、左隻の地面近くには、治兵衛と小春を象徴するかのように、二羽のカラスがより濃い墨で、今にも着地しそうな感じで描かれている。「道行」なのだから、二人は駆け落ちし、そして心中する……不吉で、そして妙にエロティックだ。

しかし、彼らをどう表現していいか分からない。だから、でろり、ということばは、言い得て妙だなと思う。そう、確かに日本の絵画には、そういう系譜があるのだ。

「景色」がいい

われわれが〝景色〟といえば、普通、眼前の風景を指している。景色がいい、といえば、木々のいろどりの調和がよかったり、視界が開けて気持ちがよかったり、眼下に見て山と川と田圃の配置がいいことなど、自然のありさまの絶妙なことを表す時に使っている。

ところがそのことばを茶碗にも使う。例えば、「金継ぎ」という技がある。割れた茶碗やその破片を金漆でつないで、修理、再生する技術のことだが、それによって見栄えがよくなった、あるいは新しい魅力が出た場合のことを、「景色がよくなった」と表現する。これも言い得て妙なことばで、他の言い方をしようとすると変に理屈っぽくなってしまい、ひと言でいい切れなくなる。

昔の人は倹約に生きていて、ものを大事にしたことは分かる。だからといって、欠けた茶碗すべてに金継ぎをして、後世に残したわけではない。そこには美意識が働いていて、これだけはどうしても残したい、というものに金継ぎをしたのだろうと思う。美しさ、重要性、稀少性などが判断されて、名品は残っていく。

それをはき違えてか、意図的にか、何でも金継ぎにして、さあ見てくれ、と構えている料理屋などに行くと、何だかなあ、とため息が漏れるのだが……。昔の人々がなけなしの金を工面して、どうにかこの茶碗だけはと残した気持ちが貴重なのである。

後でも触れるが、日本の古美術は〝用の美〟と密接に関連する。刀の鐔も屏風も扇も硯箱も、そこに絵を描いたり、螺鈿を施したりすることで、ただ単に使う「道具」だけに留まらないものに変化させている。もちろん金継ぎもその文化の系譜にある。

日本美術の特殊性

「でろり」「景色がいい」——こういった独特なことばは歴史が育んできたもので、ことばの背後には日本美術を巡るさまざまなものが貼り付いている。そして、それらのことばには、日本人だからこそ分かる、という面がある。

日本の風物を愛し日本で没したラフカディオ・ハーン（小泉八雲）は、日本人が河原から石を運んできてそのまま床の間に飾るばかりか、銅版画より高値で取引するのを不思議なこととしている。これを分からないと、日本人の「自然」の見方を理解する「とば口」にも立てない、とまでいっている。

彼の家には襖があって、そこには金箔で二つの真珠の組み合わせがたくさん散らしてあり、「何か一定の均斉のものがないか」と目を凝らすが、大きさ、透明度、間隔、どれ一つ取っても同じものがない。ハーンは結局、日本の美の中心にあるのは「不揃い」というものだと断言する。すべてをシンメトリーで構成する国からやってきた西洋人の目には、日本の美はとても変わったものに見えたようだ（『東の国から（上）』岩波文庫）。

日本は特殊な芸術的発達を遂げた国である。しかし、日本美術は特殊であるからこそ、世界が受け入れた、ともいえるだろう。

例えば、日本の近代以降の油絵は、残念ながら藤田嗣治を除けば、ほぼ海外マーケットでは注目度が低い（しかも、藤田はその経歴からしてフランス人といっていい）。そこで思い出すのが、バブルの頃にクリスティーズのオークションに出た、黒田清輝の油彩作品だ。

この作品は一九〇〇年のパリ万博に出品されて、万博終了後に買ったフランス人が八七年後に売りに出したのだが、それを競ったのは日本人だけであった。梅原龍三郎の絵を観るなら、ルノワールの絵を観た方がいい、と西洋人の多くが考えるのも無理はないだろう。ついでにいえば、外国人の多くは日本画も明治以前までの方がクオリティが高い、と考えている。

もちろん西洋にも、海外になかなか出ていけない画家がいる。例えば、イタリア人現代美術家のルーチョ・フォンタナは、一〇年ほど前まではヨーロッパのオークションにしか出品されず、アメリカにはマーケットのない画家であった。

特殊性をもった画家が、その国から世界へ出ていくには、クオリティの高さはもちろん、ある種の普遍性を備えていなくてはならない。エスニシティ（民族性）があまり強いものは難しい。地球上の誰もが「これは残したい！」と思わないと、そのアートは残っていかないからである。

私は「グローバリズム」ということばを安易に使う人間を信用しない。クリスティーズも、ある時代から、“Globalization!!”と何度も大声で唱えたことがあるが、冷静に聞いていたものだ。

ローカルにちゃんと足を着けていないグローバリズムは、偽物である。反対に、グロー

史学科を出て、最低でもマスターの資格をもった者も多い。私が入社した当時のクリスティーズ・ロンドンでは、同期六人のうちアジア出身は私だけで、専門家として社内にもう一人いた印象派部門の台湾出身の同僚も、スイスのホテルに勤めたことのある、インテリでソフィスティケイトされた人物だった。

アジアの端っこに生まれ、世界的（いや、日本でさえも）一流大卒でもなく、その大学も「一浪一留」し、マスターの学位すらも取っていない人間が、ロンドンでインテリの同期社員に聞きかじりのロートレックやセザンヌの話をしても、誰も耳など貸してくれない。逆に、もしどこの馬の骨とも分からない西洋人の若者が、日本の大学の美術史研究室でいきなり歌麿（うたまろ）や北斎（ほくさい）や等伯（とうはく）のことを語り始めたら、私たちもまともには取り合わないはずである。

彼らが私に尋ねたのは、例えば「禅とは何か？」「能とはどういう舞台芸術なのか？」といった東洋の思想や文化芸術に関することだった。考えてみればそれはごく当然のことで、私だって彼らに聞きたいのは、日本のことではなく、〝彼らの国〟のことである。

よく「真の国際人」の条件として、自国のことをきちんと外国人に語れるかどうかが挙げられるが、それは実感としてとてもよく分かる。自分がクリスティーズで異色な存在だったが故に、よけいにそのことを強く意識するようになった。

ついでにいえば、世界でインテリ相手に生半可な知識でもって背伸びをしても、すぐに底の浅いことは知れてしまう。そこを相手に衝かれて、しどろもどろになるよりは、却って、「それ興味あります。教えてください」と応える方が、相手に喜ばれる。「そうか、それなら今度うちにおいでよ。話をしてあげるから」となるかもしれない。

知ったかぶりや無理な背伸びほど、国際人にふさわしくないものはない。広い世界では、「どんなことにでも上には上がいる」ことを肝に命ずる……これも実感である。

「絵画の見方」の基本は心を揺り動かすこと

私はアートの売買をビジネスにしている関係で、アートのことも聞かれれば、ビジネスのことも聞かれる。日本美術が専門分野といっても、アカデミックに研究したわけではなく、あくまでマーケットの動きを見ながら、日本の古美術に接してきた人間である。

だから、好きな若冲（じゃくちゅう）に関して話をしても、学者的な考証は語れない。しかし、若い頃からジョー・プライスさんなどの大収集家と接したり、それこそピンからキリまで若冲の作品（といわれるモノ）を観てきているので、「若冲に未発見の作品があった！」などという記事を見ても、本当かな？ と思ったりしてしまうこともある。

もちろん私自身もいくつかオークションやプライベート・セールで若冲を扱っている。

若冲の場合、偽物か工房作か、あるいは弟子の作か見極める必要があるのだが、贋作を見抜くコツは、ひたすら本物を見る、ということ。これは一般的な絵画鑑賞にもいえることで、いいものを見る、接するというのが、基本中の基本である。

　私の日本美術に関する見方は、そういう実践的な見方が基になっている。確かにクリスティーズのトレイニー、つまり研修社員として西洋絵画と中国美術の見方を一年かけて習い、その後一〇カ月は日本美術の専門家研修を受けたが、それは鑑賞のための訓練ではない。作品の〝クオリティ〟を見極めるためのものだ。

　おいおいその話もするつもりだが、巷間出回っている「絵画の見方」といった本を見ると、実に感心することが多い。視線の流れで解説したり、絵の中の焦点のあり方から探ってみたり、画中に描かれたイコンや静物にどんな意味や暗喩があるかを説いたり、手を尽くして、それこそ絵解きをしている。

　でも、絵を見るからには、まず最初に強烈な感動や衝撃、あるいは興味がなければならない。心を揺り動かすものこそ、アートである。いかなる心の衝動もなしに、冷静極まりなく絵を見るなんて、つまらな過ぎるのではないか？

　そして、その中から自分の好きな絵や画家に出合うこと、それこそが大事なのである。

　先日、ある洋風居酒屋で若者がテーブルを囲んでいた。何か絵のことを話しているらしい。といっても、ほとんど一人の若者がしゃべっているだけなのだが、彼は西洋近代絵画の流れのようなことを解説していた。仲間はサービス精神を発揮して彼の〝説〟を大人しく聞いていたが、老婆心ながら「アート嫌いが増えなければいいな」と思った次第だ……アートも「百聞は一見に如かず」なのである。

高級、あるいは高度な美意識とは？

日本は島国なので、昔は大陸中国、維新後と戦後は欧米に尊敬と憧れをもって接してきた。その気分は今にも残っていて、とかく西洋は進んでいて、深い、という美しい神話がある。

今アマゾンのブックサイトで「西洋、エリート」と入れると、あるわあるわ、教養、絵画、哲学、歴史、果てはヨガの本まで出てくる。学ぶべきものは海外にあり、である。アートに関しても、海外のエリートビジネスマンは美への造詣が深い、美意識が高い、といったことが話題になっている。私もそこかしこでその話を振られるが、私の実感とはかなり離れている感じがしている。

例えばステーキとビールと株の値動きにしか興味のない、肥満したウォール街の金融マンをたくさん見てきた私とすれば、それってどこの話？　といいたくなる。もちろん、アートはワールドワイドの話題だし、自分の教養として知っておいて損はないとは思うが。

でも、頻繁に催す自宅での「ポットラック」という持ち寄りのパーティで話題になるのは、最近どこそこの美術館で何を見た、といった程度の話が大概で、アートの深い話をしている人などほとんど見かけたことがない。社交の場では、相手が関心がなければ深入りしない、という鉄則を忘れてはいけない。

気になるのは、美意識が高い、といった場合の、その美意識の中身である。これが一筋縄ではいかない問題である。

例えば、桃源郷のような綺麗な田園風景を描いた絵に感嘆の声を洩らすのも美意識だし、私が愛して止まない画家フランシス・ベーコン（二〇一三年三～五月、東京国立近代美術館で展覧会があった）の歪んだ顔や人体にじっと見入るのも美意識である。が、ベーコンのねじくれた人体表現に惹かれるには、ある意味、より高度な美意識を必要とすると思う。

しかし謎は、美大も出ておらず、気味の悪い絵を描く、ごく少人数に圧倒的な支持を受けるタイプの、ダブリン生まれの同性愛者の画家の作品が、それこそトップエリートに愛され、高値が付くのか、である。そこにはアートの秘密が顔を覗かせている。普通、誰にも愛されるベストセラーには、エッジを削って、いわばダサイところがないと、万人受けし、大衆の支持を得ることは難しい。ベーコンはそういうものの正反対を行くアーティストである。

美意識を語る場合、何か教科書的な、姿勢の正しい、美しく、スタンダードなものだけをイメージしているとすれば、まったく不十分である。絵画には政治的なものもあれば、目をそむけさせる要素を含んだものも多いが、それがアートの本質の重要な一面である、ともいえるからだ。

アートは「窓」である

よく絵の見方を教えてください、といわれる。「では、どんな絵がお好きですか」と聞き返すと、しばらく考えてから、「風景画です」とシンプルな返事がくる。

有名な絵が来たらしい、あの画家は最近人気らしい、NHK Eテレの「日曜美術館」でもやっていた、ということで、その話題の展覧会に出かけていく。それも絵を観る立派な動機だが、それだけだと展覧会は有名な絵のおさらいで終わってしまう可能性がある。ポスターに採用された作品の前に人だかり……そんな光景をあちこちで見かける。

私の提案は、自分の好きな絵や画家を見つけて、「自分事」としてしまうということだ。ある企画展で見かけた一点の絵が気になってしょうがない。別の展覧会でも偶然、その画家の作品に出合ってしまう。細かい情報にも目が行くようになり、画集や伝記を買って読み、機会を見つけてはその画家の絵を追いかけるようになる。数年経って、その画家の大きな展覧会が催されることになり、まるで自分が見出して育てたような気分になり、何となく晴れがましい。

そういう画家が一人でも見つかれば、そこを中心にして、絵画にまつわる知識が増えていく。似た作家がいれば、そちらにも枝葉を伸ばす。エコール（一派）のメンバーであれば、その周辺の芸術家にも関心が広がっていく。音楽や演劇とコラボをしているようであれば、そういったバックグラウンドも「自分事」にしてしまう。

そうこうしている内に目が肥えてきて、知らぬ間に独自の〝美意識〟なるものが育ってきて、部屋の壁に何か飾りたくなる。机の上にも花や置き物が欲しくなる。街に貼られたポスターのよし悪しも気になり出す。

アートとは「窓」である、というのが私の持論だ。アートを足掛かりに、自分の外に存在するさまざまなものに感性や興味を伸ばしていく。〝アートおたく〟で終わってはもったいないと思いませんか？

絵を自分事として見始めた原点

私が絵に興味をもち始めたのは、実は映画がきっかけだった。そのことを語りながら、絵を自分事として見始めた原点について触れていこう。

私は小さい頃から近所の名画座に入り浸っていた。週替わりで特集が変わる。東京郊外・国立（くにたち）のスカラ座という映画館で、高校生ともなると、ソフトポルノぐらいであれば大目に見て入れてくれるほどの常連だった。

その時は何の特集だったか忘れたが、浪人時代か大学に入った頃、ニコラス・ローグ監督の『ジェラシー』という映画に出合った。デビッド・ボウイ主演の『地球に落ちてきた男』も撮っているローグは、ヨーロッパのアヴァンギャルド系の監督で、主演がサイモン&ガーファンクルのアート・ガーファンクル、当時彼はデュオを解散して、役者の道に進んでいた。他には相手役の女優にテレサ・ラッセル、脇を締めるのが名怪優ともいうべきハーヴェイ・カイテルといった、こちらもかなりアヴァンギャルドな配役だ。

ウィーンが舞台で、ガーファンクルが精神科医、そしてラッセルがかなりイカレてる恋多き女で、セックスフリークといっていい。そのテレサが自殺未遂をして病院に運ばれ、その捜査をしていく内に、刑事のカイテルが恋人のガーファンクルに不審をいだく。

音楽がこれまた超ハイセンスで、トム・ウェイツの大名曲「Invitation to the Blues」やビリー・ホリディ「It's the Same Old Time」、そしてキース・ジャレットの「ケルン・コンサート」が頻繁に使用される。

劇の冒頭に数度、男と女が不自然な角度でキスをする絵が、象徴的に、そして予兆的に挿入される。その絵こそ、クリムトの「接吻」であった（他に弟子であるエゴン・シーレの絵「死と乙女」も）。愛の証であるキスが画題なのに、どこか寂しい。喜ばしいはずの愛がテーマなのに、死を感じさせる。金銀色を派手に使っているのに、途轍（とてつ）もなく暗く感じる。未だ大人になり切っていなかった私は、その理解のできないアンビバレンスにやられてしまったのである。そして絶対に現地まで行って、この絵を観て、その不条理を理解しようと決心した。お金と時間の算段をして、一番安いウィーン・パリ五日間のツアーに潜り込むと、私以外の四組の新婚カップルとともにウィーンへと飛んだ。

ウィーンに着くと、フリータイムを使って、午後はずっとベルヴェデーレ宮殿の「接吻」の前に立ち尽くしたのだが、今から思えば、この「接吻」こそ私の生涯で一番長く見入った絵となった。私は昔から絵を観るのが早いタイプで、じっと絵を観ているのが苦手だったのだが、さすがにその日だけは特別だった。もちろん幸せ一杯の新婚さんには、クリムトの描く、暗く捻じ曲がった歪（いびつ）な愛の世界など無縁だったろう。

さて、この「接吻」を観て思い出したのが、マーラーの交響曲第五番だ。曲の冒頭で金管楽器を多用し、高らかにファンファーレを鳴らして派手に始まるのに、その第一楽章は暗雲が立ち込めたように陰鬱だ。

高校生の時（実は今でもだが）、このマーラーの五番はクラシックのシンフォニーで私が最も好きだった曲で、毎日ほぼこの曲ばかり聴いていた。それはヴィスコンティの名作映画『ベニスに死す』のせいである。

この映画のもつ「美しく煌(きら)びやかなのに、暗い」という感覚は、「接吻」と通じるものがある、と強烈に思った。マーラーはクリムトの二歳年上で、両者ともウィーン生まれの同時代人である。世紀末の都市の気分、時代の気分が濃厚に二人に働いて、「美しく煌びやかなのに、暗い」芸術をつくり出したといっていいのではないだろうか。

こう見てくると、映画とはさまざまなものの「入れ物」であることが分かる。絵画も音楽も、政治もセックスも、そして人生のドラマも納められている。私がいかなる芸術の中でも、アートだけに関心が終わらないのは、子供の頃からの「映画体験」があるからかもしれない。

私は立教大学に進むと、蓮實(はすみ)重彦先生のもとで映画表現論を学んだ。先生の授業の中心には、ジョン・フォードや小津安二郎、ゴダールがあり、先生とご一緒に竹橋(たけばし)の東京国立近代美術館の中にあったフィルムセンターへ古い映画を観に行ったこと、授業での先生の強烈な言説や板書の物凄い悪筆もよい思い出である。「一年に百本は映画を観る」ことが課せられた蓮實先生の映画表現論のクラスからは逸材が出ていて、青山真治、黒沢清、周防正行監督がいる。私はアートの業界に行かなかったら、映画の世界に進んでいたかも知れない。

絵を自分事で、しかも真剣に観る癖が付いたのは、「接吻」体験が大きかったと思う。何しろ自分が惹かれてやまない絵が、若造にはあまりにも不可解だった。愛と死、美と醜、絢爛と陰鬱が同居する世界がある……それに惹かれる自分って何だろう？

奇想の画家はアウトサイダー

先に岩佐又兵衛のことに触れた。辻惟雄先生の名著『奇想の系譜』の巻頭を飾る、異色の絵師である。辻先生は指導教授から修士論文のテーマとして又兵衛を薦められ、教授、助手とともに熱海美術館（現・MOA美術館）に出かけ、「山中常盤物語絵巻」「浄瑠璃物語絵巻」「堀江物語絵巻」の三作品をカメラに収めたという。結果、辻先生が奇想の画家を追うきっかけになったのが又兵衛だったということになるのだが、その画風からいって、又兵衛は今でいうところの「アウトサイダー」といってもよいだろう。若冲もまた正統的な画派の外にいた人で、奇妙かつ個性的な絵をたくさん残している。

私という人間は、どうもそういう正統派から外れた、異色の画家に惹かれる傾向があるらしい。それは自分が好きな絵から逆算して分かったことである。だから、「どうしてその絵が好きなんですか?」という問いは、結構深くて、難しい質問なのだ。

2 一部屋ごとのトップの絵を決める

なぜ好きかを説明できるか

私がいま日本の古美術とアート・マーケットに関して教えているのが、京都芸術大学(旧京都造形芸術大学、二〇二〇年四月に改名)である。また時折、朝日カルチャーセンターで講師を務めることもある。主に美術館で特別展などがある時に、その関連講座として話をしている。これまで運慶(うんけい)、白隠(はくいん)、奇想の系譜、ボストン美術館、プライス・コレクション展などについて話をしてきた。

この講座は一般の方が対象なので、日本美術史的なアカデミックな話は学者の先生方にお任せして、私は日本美術の海外での評価、またその評価や好みの国内と海外での違いや、海外における日本美術品のトレンドの変遷や取引額など、受講者が知りたいであろうと思われることを、私のビジネスの立場から話している。

京都芸術大学では客員教授なので、授業は年に十数コマという程度、対象は美術工芸学科基礎美術コース一、二年生の学生である。ほとんどが将来アーティストになるか、漆や陶磁器などの伝統工芸の職人になるか、後は少人数ながら美術教員か学芸員という生徒たちだ。

一年生は二日間の授業で、一日目はオークションと外国のマーケットの話、そして古美術に関する概論的な話をする。そして、二日目に京都の馴染みの骨董屋さんに行って、本物の浮世絵や屏風、仏像を見たり、茶碗を触らせてもらい、私がそれぞれの品を解説したり、店主の話を聞いたり、当然生徒からの質問に答えたりする。

例えば浮世絵商の店を訪ねる日は、店に何百、あるいは何千と展示陳列されている浮世絵から、学生に自分が好きな版画を一点選ばせ、なぜその作品が好きなのかを、作品を見せながら二〇〜三〇人のクラスメイトの前で発表してもらうのである。一口に浮世絵といっても、時代は江戸から現代まで、画題も美人画・風景画・役者絵から、近代の新版画・創作版画まであるが、それ故に題材、色、構図も千差万別……自分が選んだ版画のどこを、なぜよいと思ったのか、どこが好きなのか、を皆に説明してもらう。これによってプレゼンテーションの訓練にもなるし、何より自分の「アート嗜好」を知ることができる。

二年生の学生とは、京都国立近代美術館の常設展に出かけ、まずは生徒三人ずつ一チームで一〇チームをつくる。そして常設展を一通り観た後、各メンバーが自分の一番好きな作品を決めてチームに持ち寄る。そこでチームメンバーは協議をし、チームの「お気に入り作品」を決め、その作品のセールスポイントを調べ、私に「売り込む」プレゼンテーションをする、ということを課題にしている。

常設展は基本的に写真撮影OKの作品がほとんどなので、それを写真に収めて、プレゼンに利用するチームもある。私が一五年以上つくっていた「オークション・カタログ」に必須の、作品イメージ、作者名、サイズや素材等の作品データ（ディスクリプション）、解説文（フットノート）、来歴や展覧会歴、所載歴、そして値段を明示して、オークション・カタログ風の冊子をつくって「クリスピーズ」と名乗るチームもあれば、抹茶を点てて、「お茶を一服どうぞ」と顧客接待パフォーマンスから始めるチームもあり、私は毎回、この授業をとても楽しみにしている。

傑作だったのは、シャガールの版画作品を選んだ男子三人組の、スマホで撮った動画を使ったプレゼンだった。大学は山の中腹にあるのだが、彼らの動画はその山を背景に学生が一人テラスに立ち、「私がシャガールです。この作品は……」と語り出すところから始まる。そう、シャガール本人によるプレゼンという体なのだった！　この授業では、クラス皆で楽しみながら、それぞれが選んだ作品に親しみ、学ぶのである。

私がこの種の授業を考えた理由は二つある。まず第一に、自分の好みの作品を見つける「眼」をもつこと。第二に、これからの時代はアーティスト自らが直接買い手を探し、説明し、売ることがとても重要になると思うからだ。作家自身がウェブサイトをつくるにしても、そこで買い手に、自分の作品がいかに魅力的かを知らせる説明が必要になってくる。

何が好きか？　どうして好きか？　を自分のことばで語ってもらうのは、そのための訓練なのだ。

美術工芸学科基礎美術コースの二年生は、春休みにニューヨーク研修旅行がある（不定期。希望者は大学入学時から積み立てをしておく）。その時期は、ちょうどクリスティーズで「Asian Art Week」と呼ばれる東洋美術のオークションが開かれているので、付き添いの先生と一緒にその下見会を見るためにロックフェラーセンターの社屋を訪ね、中国・韓国・日本・東南アジア各国の美術館級の作品に接し、触れる。

この研修旅行は、その他にも「ガゴシアン」や「ペイス・ギャラリー」といったチェルシーの現代美術のメガ・ギャラリーや、ミッドタウンやアッパー・イーストサイドの東洋美術商巡り、メトロポリタン美術館の日本美術担当学芸員による解説付きギャラリー・ツアーなど、盛りだくさんなのである。

一部屋ごとに採点する

私が若い頃から絵を足早に観ることとは、先に触れた通りだが、自然と身に付けてきた作法みたいなものがある。それをご紹介しよう。

何か展覧会に行ったとする。最初の部屋を観終わったら、その部屋で一番気に入った作品をメモして、その絵に関する感想も記しておく。色が綺麗だ、構図が大胆だ、ちょっと変だ、厚塗りの絵具に迫力があるなど、何でもよいから印象に残ったことをメモに残し、再びその絵を確かめに行き、次の部屋に移る。

次の部屋も足早に回ったら、前室と同じように、最後にその部屋の自分イチ押しの絵を決めて感想を記し、その絵の前に戻って、自分が書いたメモを見ながら再度眺めて、追加の感想があったらメモを加える。

この作業を、展覧会のすべての展示室でやるのである。そして、全作品を観終わったところで、例えば五部屋あったら、自分が選んだ五つの「イチ押し作品」に一〜五位まで順位を付けてみる。そして時間とお金に余裕があったら、展覧会図録を買って帰り、絵の記憶が薄れない内に自分が選んだ「ベストファイブ」についての解説文を読む。こんな調子で年間五回、展覧会に行ったとすれば、今度はすべての展覧会からの「年間ベストテン」

を決めて、今年の第一位「自分的イチ押し大賞」を決定するのである。

そうすればまた別の展覧会に行った時に、「そういえばこの絵、あの時トップスリーに選んだ絵に似ているな」と感じることがあるかもしれない。それは、例えば同じ画派のグループに属する画家の作品かもしれないし、もしかしたら作家の活躍した時代や街が、一緒かもしれない。また、自分の好きな絵が分かってくると、どうも苦手、という絵も分かってくる……それも一つの有益な感性である。

また、同じ一人の画家の作品でも、人物画よりも橋や建物を描いたものの方が好きだ、ということもあるだろう。この鑑賞法には、少しずつ自分の「好み」が見えてくる、いってみれば謎解きの要素がある。人は普通に展覧会に行っても、自分が一体どういう絵が好きか、その作品が好きなのはなぜか、とまではなかなか考えないものである。好きだから好きだ、自然とそうなる、と曖昧なままにしている人が多い。

この鑑賞法は、私が高校生ぐらいから実践しているもので、なかなか年季の入った方法なのでお勧めと思う。

そうして自分の好きな画家や絵の傾向が見えてきた時、どんどん絵を観るのが楽しくなってくる。人生において、自分が好きな物や人に出合えることほど、幸せなことはないからだ。自分の好きな絵や作家が分かれば、嫌いな絵も分かる。他の画家、絵との相違にも関心が向くようになる。自分の好みに走ると世界が狭くなる、というのは、当たらないと思う。やはりアートは他の世界への、そして知らない自分を知るための〝窓〟なのである。

先に述べたように、話題になっているから、人気だから、教養として知っておきたいから、というのも絵を観る大事な動機だが、その根底では、やはり自分の好みを知っている方が趣味は長続きするうえに、どんどん深まっていく利点がある。

古美術はかつての現代美術

私は日本の古美術が専門であるが、現代美術も大好きである。元々高校生の頃に雑誌『POPEYE』（マガジンハウス）で特集していた、ウォーホルやリキテンスタインに興味をもち、ワタリウム美術館の向かいにあったアートショップ「オン・サンデーズ」でそういった画家のハガキやポスターを買ったのが現代美術に触れた最初で、それからしばらくして先のクリムト体験がある。

ポスターもアルファベットだけの外国の展覧会のものを額に入れて、部屋の壁に飾ったりして、悦に入っていた。音楽はロックへと傾斜し、「日本」は私の中からどんどん駆逐されていった。

父は浮世絵研究者、母は神社のひとり娘という環境に生まれ、小さい頃から周りに能だ、歌舞伎だ、お茶だ、浮世絵だ、という〝日本文化命〟な環境がありながら、私は反対方向に向かってしまったのである。能に関していえば、謡と鼓の先生が家に教えに来ていて、叔母二人と父が舞を、母は鼓を習っていた。お茶はお茶菓子が食べたくて、茶室に大人しく座るようになった。歌舞伎鑑賞は家族行事であり、浮世絵は父親の研究課題である。

今となっては私の場合、ぐるっと回って自分本来の地に立ち戻ってきた、ということになるのかもしれない。ただし、未だに現代美術は大好きで、その分野で受けた新鮮な刺激が、古美術に向かう際にもよい影響を与えていると思っている。

ある時私自身の中で、思想の大転換があった。それは、「古美術がつくられた時は、すべては現代美術だった」という発見だ。いわれてみれば当たり前のことのようだが、ついその事実を忘れがちである。古びた木造建築を見て、私たちは悠久の時を感じるが、あれもできた当時は絢爛豪華、目にも綾な色彩を放っていたのである。現在の日光東照宮の煌びやかな様子を思い浮かべれば十分だろう。仏像も茶碗も、屛風絵も同じ……皆経年の結果、老境に達したかの如き枯れた姿を見せているのである。

古美術を私は〝死者の美術〟と呼んでいる。どう願っても作者に会うことができないからで、どういう意図でこういう絵を描いたのか、どんな技術でこの工芸品をつくったのか、と問うても、冥界から返事は聞こえてこない。現代に生きる私たちが、科学的に作品を調査したり、古文書を読んだりして分かったつもりになっても、その時代に生きて見聞していない限り、それは一〇〇パーセント真実とはいえない。作者本人に聞ければ一番早いのだろうが、それができないのだから、推測の域を出ないといえる。

それに比べて、現代美術は作者が生きているので、聞こうと思えば、制作の動機も技術に関しても聞くことができる。現代美術の魅力には、例えばまだ絵具が乾き切っていないような、出来たての生々しさがあるし、彫刻にも彫りたての若々しさがある。それらの作品が、いずれ百年、千年という歴史の中で評価が定まりながら次代へと引き継がれていき、最終的に古美術という冥界の住人となっていくのである。

また逆に、新しいものを見た目で古いものを見ると、何か目が洗われるような新鮮な感じがする。その古美術が現代美術だった頃の生々しさみたいなものを感じながら、眼前の老成した作品に向き合うようになるのである。

能面を通して歴史と出合う

数年前のテレビ番組で、私の仕事の様子を追いかけるものがあった。カメラが回っている時に、信じられないタイミングで藤田美術館の館長から、クリスティーズが提案したオークションの企画が採用されたとの電話が入ったりと、何かと賑やかな内容だった。

その番組中、私が能を好きなこともあって、カメラが能楽堂まで追ってきた。公演をなさる櫻間右陣師(さくらまうじん)に取材がついてくるという話をし、舞台が終わってからその舞台で使用した能面を見せていただきたい旨を申し出て、ＯＫの返事をいただいていた。なので、公演後に楽屋で見せていただけるのだろうと思っていたところ、サプライズが用意されていて、舞台が終わった直後、「ちょっと来てください」ということに……そこで通されたのが、「鏡の間」であった。「鏡の間」とは、能舞台の橋掛かりにある揚幕のすぐ裏にある鏡の置かれた小部屋で、主役であるシテ方が舞台に出る直前に面(おもて)を付ける、通常、部外者は決して足を踏み入れることのできない、誠に神聖な場所である。

中将の面だったと思うのだが、今さっきまで使われ、いわばシテの顔と一体になっていたその面が、机の上に未だ息づいているように置かれてある。この中将面、おそらくは桃山時代ぐらいの作で、何百年と能楽師の顔と密着して使われてきた逸品だ。それを特別の配慮で、何と「鏡の間」で見せていただけたのである。歴史を超えて「使用されてきて」、つい数分前まで「使われていた」一級品の日本美術品との邂逅(かいこう)、それを惜しげもなく私に見せて下さった櫻間右陣師への感謝の思いが一気に胸に込み上げてきて、つい涙目になってしまったところをカメラが押さえていたらしく、後で知人たちから「泣いてたね」といわれてしまった。

能は憑依（ひょうい）の芸術といわれ、一級品の面にはまさに歴代の演者の魂がそこに残っているような生々しさがあるのだが、それを感じる時にこそ、いかにも歴史と対面しているような気分になれるのだ。

陰翳礼讃（いんえいらいさん）の美

私は美術館でただ展示されているお茶碗よりも、日常的に実際に大事に使われているものの方が、〝色気〟があると思っている。だから、お茶碗はたとえ文化財級であっても、使われる場にある方がよろしいというのが私の考えである。もしお茶席で、長次郎（ちょうじろう）で一服いただけることがあろうものなら、泣いてしまうだろう。

だから江戸時代のものは、江戸時代の生活環境で観たい……美術品は元来あるべき環境で観たい、ということである。谷崎潤一郎も書いているように、昔の人は日本家屋の薄暗い中で金蒔絵（きんまきえ）などを見ていたのだ。夜は明かりは蠟燭（ろうそく）の灯明ぐらいしかない。そういう条件下で見る金地（金箔を貼ったもの）の屛風は、電気の光で観るのとは、よほど趣（おもむき）が違ったことだろう（東京国立近代美術館で、琳派の屛風絵に蠟燭の光を当てて鑑賞する試みをしたことがある）。あるいは東京国立博物館で観る長谷川等伯「松林図屛風」を、泊まった先の宿や寺院でたまたま観たとしたら、感慨は一入（ひとしお）に違いない。

谷崎は、金蒔絵は「闇に浮かび出る具合や、燈火を反射する加減を考慮したもの」といい、次のように描写する（「陰翳礼讃」『谷崎潤一郎随筆集』岩波文庫より）。

あのピカピカ光る肌のつやも、暗いところに置いてみると、それがともし火の穂のゆらめきを映し、静かな部屋にもおりおり風のおとずれのあることを教えて、そぞろに人を瞑想に誘い込む。もしあの陰鬱な室内に漆器というものがなかったなら、蠟燭や燈明の醸し出す怪しい光りの夢の世界が、その灯のはためきが打っている夜の脈搏が、どんなに魅力を減殺されることであろう。

浮世絵と印象派の出合い

私は大学をフランス語で受験した。当時国公立はまだしも私立は仏語で入れる大学・学部は限られていて、例えば慶應大は法・文学部、立教は文学部仏文科しか受けられなかった。結局、一浪して入ったのはその立教の仏文である。

我が国の文化から限りなく遠く、というのがその当時の私だが、予期せぬことで日本回帰する端緒と出合うことになる。私が仏語で受験したのは、突き詰めれば母親のうっかりが原因だった。幼稚園に入る時に、もちろん願書を出さないといけないのだが、母は何と自分の子供が幼稚園に入る年だということを、すっかり忘れていたのである！　近所の人から「おたくのお子さんも、もう幼稚園ですね」といわれて愕然としたらしい……。

近くの公立の受付は終わっていて、当時の家から近い白百合と雙葉（両方とも女子学園だ！）を当たったら、雙葉は当日が締め切りで間に合わなかったが、白百合の方は締め切りまで二、三日余裕があったので、そこへ駆け込み入園した。当時私は千代田区神田駿河台に住んでおり、靖国通りには都電も通っていたので、その意味では都合がよかった。

その白百合はカトリック系の一貫教育の女子校だが、当時幼稚園だけは男子が入園できた。が、白百合学園幼稚園は、私の入園した年で一切男子を採ることを止めたので、その年の男子は私ともう一人の二人だけ。私は白百合女子学園史上、最後の男子二人の内の一人となったのである。そう聞くと、まるで私が楽園かハーレムにいたかのようだが、当然の如くそこは女の子の天下で、トイレ（女子用個室トイレしかなかった）に入っているとドアを叩かれたり、三輪車に乗って遊んでいると、三人がかりでぶつかってきて、三輪車を奪われたりもした。お嬢様学校にも、ヤンチャな女性はいるものである。

翌年、近くの暁星学園に幼稚園が設立されたので、白百合のマスール（シスターのこと）の「男の子は、男の子の学校に行った方がよろしいですわね」という至極真っ当な勧めに従い、逃げるようにしてそちらの年長組へ転園した。結果、女性の園に少年I君（その後、小学校から高校まで同級生だった）が一人残されたわけだが、私は後年観た映画「猿の惑星」での、猿に乗っ取られた未来の地球に迷い込んだ哀れな人間に自分たちの幼少期を重ね合わせたものである。

暁星学園では、幼稚園からフランス語を習わせる。そのまま小中高と仏語の環境で育ち、特に小学生時代は通常の小学校が終わってから、隣設していた、後に「リセ・フランコ・ジャポネ（現・東京国際フランス学園）」となる暁星日仏にほぼ毎日夕方まで通っていたので、その頃から外国人（フランス人）が自分の生活環境にいたことも、後に海外で二〇年近くを過ごす大きな要因になったのかもしれない。

大学は先述したようにフランス語で受験し、仏文科ということになった。中高時代からジイドやモーパッサン、カミュなどフランス文学をいくつか読んだことはあっても、特に深い興味があったわけではなかったので、一体何を、誰をテーマに勉強したらいいか分からず、教授に相談すると、フランス語の文献を読みなさい、とのこと。そこで出合ったのが、印象派の画家とその周りに集う、小説家や音楽家といったアーティストである。

彼らはカフェやバールで自分たちの新しい芸術を巡って口角泡を飛ばし、アブサンに酔いつぶれ、ムーラン・ルージュで好きな踊り子に熱を上げた。そしてある日、彼らの斬新な美的創作意識に、日本の浮世絵が飛び込んできたのである。その中でもモネやゴッホ、ゴンクール兄弟は実際に浮世絵を集めていたし、ドビュッシーの当時の書斎が写された写真にも、額装された北斎の版画「富嶽三十六景・神奈川沖浪裏（なみうら）」が写り込んでいる。実際、彼はその北斎の絵を、自身の交響詩「海（ラ・メール）」の初版スコアの表紙に使用したほどだった。浮世絵版画は、日本から輸出された焼物のパッキングに使われていたといわれるが、その当時世界に類を見ない斬新な画法に、彼らは大きな衝撃を受けたのである。

一八世紀の京都の如く、きら星のような芸術的才能で溢れるそんな一九世紀後期のパリのサロンに目が行って、逆に見えてきたのが、日本美術のもつ創造性と普遍性だった。輪郭線で枠取りをして、その内側に色を置き、原色を隣り合わせる（クロワゾニスム）、遠近法の無視、光が満遍なく回っている、主題が中心に来ない構図、画面からの立体感の排除（平面性）――そういった浮世絵の影響を受けて、彼らの絵が変わっていく。

しかし、彼らはアカデミズムの世界から顰蹙（ひんしゅく）を買い、排除されていた。絵を展示してくれる画廊もほとんどない。〝印象派〟という名前も、モネの絵画のタイトルから付けられたものだが、何を描いているか分からない、という揶揄の意味を込めたことばである。

その彼らに多大な影響を与えた浮世絵も、日本では町絵師の仕事として、長い間ひどく下に見られたものであった。明治政府が進めた芸術運動では、そもそも西洋絵画教育に力点が置かれ、その後の美術史研究においても、狩野派などの歴史的で正統派の絵画は重視されたが、浮世絵は町の素人絵師による卑俗で低級なものとして軽く見られた。その結果、アカデミズムから忌避され、文化財を守る法律からもこぼれ落ち、大量の作品が海外へと出ていくことになった。

外国人は日本の美術に対してそういう偏見をもたなかったので、浮世絵を自由に受け入れ、こんなアートは今まで見たことがない！と受け止めたのである。

こうして浮世絵は、幸運にも（？）印象派の画家、当時の西洋のトップ・アヴァンギャルド・アーティストと出合えたのだが、私は自国の文化がこれほどまでに西洋の芸術に影響力を与えたことに、誇りのようなものを強く感じたのだった！

我が身を遠く離し、避け続けていた日本文化に、遅まきながら出合い直したことになる。ただし、本格的に目覚めるには、もうちょっと回り道をする必要があったが。

ビジネスもアートもまずはスタンダードから

〝自分事〟として絵を見ることの一環として、もう少し私の〝日本回帰〟の話を語っていこう。

私は大学を一浪一留した後、ある広告会社の営業局に入った。バブル期の広告業界だから、毎日がお祭り騒ぎだった。最初はＪＲＡ（日本中央競馬会）とスキーのヴィクトリアが担当だった。その頃の仕事で思い出として残っているのは、ヴィクトリア提供のFMヨコハマ「マスター・ミックス・レイディオ」である。三〇分間の番組中、一切CMを入れず、DJ（当時、英語のDJで第一人者だったキャロル久末さん）が曲をつなぎっ放しにする手法の番組で、先輩と担当した。提供社ヴィクトリアのCMは、番組の最後に一分間だけ山下達郎風のアカペラの、オリジナル・コーポレート・メッセージ・ソングをかけるという、当時としては画期的な、お洒落な番組だった。

また、私が入社して初めて自分で企画を立てて実現した仕事は、発刊されて間もなかった雑誌『Ｈａｎａｋｏ』（マガジンハウス）とＪＲＡのタイアップ・ページ企画だった。当時のＪＲＡは「競馬はおっさん専門のギャンブルで、汚らしく不道徳」というイメージを払拭しようとしていた。テレビCMにも初めて俳優（小林薫）を使い、競馬場自体を綺麗にして、英国での競馬のように若い女性やカップルを呼び寄せて、クリーンなイメージをつくろうと模索していた。

そこで私はこれも当時大ヒットしたホイチョイ・プロダクションの映画『私をスキーに連れてって』をもじり、「私を競馬に連れてって」というページを『Ｈａｎａｋｏ』とつくったのである。今から思えば、三十数年も前に『Ｈａｎａｋｏ』もＪＲＡも、よくぞこんな企画を通したものだと思う。

さて私が配属された営業局の局長はＵさんという、業界でも有名なパンチパーマの、いろいろな意味でヤクザ的な上司だったが、出社の初日に私に鉛筆とノートを渡しながら、「これに何でもメモをして、勉強しなさい」と、風貌とは正反対の満面の笑みと優しい声でアドバイスをくれた。

しかし翌日には、「おい、お前は人より二年遅れて入社しているんだな。お前と同年齢の社員は、その間に仕事をもう二年経験しているわけだから、三年目の社員と同等に仕事ができないといけない。できない時は、ぶっ飛ばすから覚悟しとけ！」と、前日とはうって変わったドスの利いた声で怖いことをいった。「無理です」「無理じゃねえだろう？　大体二年遅れたのはお前の自己責任なんだからな」。私はまさか冗談だろうと思ったのだが、ヘマをするたびに「おら、カツラ、ちょっと来い！」とフロア中に聞こえる声で呼びつけられ、丸めた書類の束で頭を叩かれ続けた。そんな私の様子を、同じ試練を潜り抜けた局の先輩たちは誰も助けてくれず、いつもニヤニヤして見ていたものだ。

そうして入社してひと月経った頃だったか、自席でランチの菓子パンを食べていたら、Ｕさんが寄ってきて、「お前デカい図体して、それで足りるのか？」と聞いてきた。「入社後スーツを買ったりしてお金がなくて、これだけなんです」と答えた途端、首根っこをつかまれて会議室に連れ込まれ、いきなり引っ叩かれた。「何するんですか！」と気色ばんだところ、「財布見せてみろ」というので、中身を見せると四千円ぐらいしか入っていない。それを見たUさんからは、「お前は営業だろ。顧客の何億という金を預かって、テレビや雑誌・新聞の広告やイヴェントに割り振ったりする仕事なのに、たった十数万のテメエの給料の管理もできないでどうするんだ！」と怒りの声が飛んだ。いわれてみれば誠にごもっともで、ぐうの音も出ない。「営業なら、これから最低三万はキャッシュを入れておけ。お客のところに行って、『この後一杯行きましょう』とかなった時に、客に払わせるつもりか？」。これにもまったくぐうの音も出ない。

「嗚呼、また怒られた……」としょんぼりして、席に戻って仕事をしていると、昼休みの終わり頃にUさんが再びやってきて、「お前、そんなデカい図体してあれだけじゃあ、午後もたねえぞ」と、何と肉まんを四個差し出した。これには私も思わずホロっと来てしまい、怒鳴られたり引っ叩かれたり、今なら全部パワハラ・モラハラで訴えられそうな理不尽なことも全部吹っ飛んでしまう、Uさん天下一品の「飴と鞭」に私はやられてしまったのである。Uさんの風貌に沿って言い換えれば、脅してすかしての悪徳商法にまんまと引っかかったようなものかもしれない。

その後もU局長の鬼指導は続く。例えば、靴の脱ぎ方が悪い、と注意をされる。「親からどんな教育を受けてきたんだ？」。接待でお座敷に上がるような時には、新しい靴下を履いてこい、食べ方はこうしろ、とそのたびに注意を受けた。それと、人と話をする時に睨むな、口元を見て話して、相手の目は最後に見るだけでいい、ともいわれた。「おまえはガンをつけるような過去があるんだろ?」と図星の指摘をされたこともある。

が、結局これがとても身になったのである。私たちが日頃接する相手は、日本文化に造詣の深い方や、古い家柄の方も多い。また起業家、会社オーナーから弁護士、銀行幹部にもお会いする。私は今の会社の後輩には、顧客のお宅に伺う場合や料亭といった靴を脱ぐ会食の場で綺麗な靴下を履くことや、沓脱(くつぬ)ぎでの所作も教えてきた。

もちろん、焼物の桐箱への入れ方、包み方、掛軸の巻き方なども、自分で手本を示して、それをスマホで撮って、特に外国人のアートハンドラー(美術作品の運送・設営などをする人)に教えたりする。掛軸の紐は固結びにしてしまうと、なかなか解けない。きちんと巻かれていながら、一箇所を引っ張るとするすると取れる、それ用の結び方がある。私自身はこういうことはすべて、骨董の師匠から学んだ。

以前、ニューヨークのオークションで焼物を買った方がいて、品物が届いた時に、箱の中や紐が滅茶苦茶になっていたことがあった。作品輸送時には、通常現地のアートハンドラーがパッキングをするのだが、これは作品の保管上あってはならないことで、信用問題である。日本美術品の伝統的な箱への収め方や紐の結び方は、見た目の美しさのみならず、作品保護に関しても、使用時の利便性に関しても、大いに理に適っているので、学ばねばならないことなのだ。

一度、スタンダードなところを学んでおくと、後は状況によってどこまで崩すかの裁量ができるようになる。始めから崩したところを身に付けてしまうと、いざとなった時にそれができない。これは後でも触れる「美の絶対基準」の話ともつながることである。

広告業界からの転身

一年経って、局長のUさんから異動の発表が行われた——局から二人、異動する、という。その一人がUさん自身で、営業を外れることになったという。そしてもう一人が何と私。ソニー担当営業局からの引き抜きだった。Uさんいわく、「俺の下で一年もった新人は数年振り。何だかんだいってもお前は、自分で何かできることはないか、と工夫する。カツラはよそから望まれたのだから、そっちへ行った方がいい」。

確かに、新入社員にして「三年目の社員並みに仕事をせよ」といわれたものの、何もできない私は、自分ができることは何かないかと必死に考え、思いついたのが、毎朝誰よりも早く会社に来て、無人のフロアに始業前にかかってくる電話すべてを取り、メモをデスクに残すことだった。そして毎朝私の次に早く出社してくるのがソニー担当局の局長で、私のその様子を見て「いつも朝早くから来ているあの若いのは、どの局のどいつだ?」ということだったらしい。

当時のソニーは「AE（アカウント・エグゼティブ）制」を採っており、製品カテゴリーごとに広告会社を振り分けていた。私の会社はミニコンポ「Pixy」、磁気製品（オーディオテープ「UX」）、VHSビデオテープ「V」、フロッピーディスク、業務用テープ各種とウォークマンに関するテレビ・雑誌・新聞広告、イヴェントやカタログまでを扱っていた。その中でも、私が入局した前年はウォークマン発売元年で、うちの会社が担当した瞑目する猿にヘッドフォンを付けて、「音が進化した。ヒトはどうですか。」のコピーを流したコマーシャルは、広告に関する国内・国外の賞を総なめにした。コピーライターやアート・ディレクターという仕事がにわかに脚光を浴びた時代で、川崎徹さんや仲畑貴志さんが時代の寵児(ちょうじ)としてマスコミに頻繁に登場していた。

ソニー担当の部署に所属することになって、私の意気も上がった。うちの会社はソニーからの信頼も厚く、なにしろソニー宣伝部はクリエイティヴ志向で鳴らしていたから、そのようなところと仕事をやれるのが、楽しくてしょうがない。

磁気製品担当となった私は、先輩の下で、ソニーが世界中で展開する磁気製品の広告のお手伝いをした。新聞広告も、例えばヒンドゥー語やウルドゥー語まで制作したが、メジャーなところではソニーのオーディオテープ「UX」のCMに、当時売り出し中だったソニーミュージックのアーティスト、プリンセス・プリンセスと彼女たちの大ヒット曲「ダイアモンド」を使った。彼女たちのライヴに行ったり、打ち合わせで会った時など、ミーハー丸出しで嬉しかったのを覚えている。ちなみにミニコンポ「Pixy」のCMには、レベッカとこれも大ヒット曲の「フレンズ」が使われていた——そんな時代であった。

ところが、仕事はおもしろかったのだが、ソニー担当時代の丸二年間に及ぶ月一二〇時間の残業がたたって、身体を壊してしまった。もう一ついえば、業界人の妙な馴れ馴れしさとその古い体育会的体質が、最後までどうにも合わなかったことがある。会った初日から「ねえ、やまちゃん」と私を平気で呼ぶ世界である。身体を壊した後に移ったメディア局テレビ部でも、ほぼ新人の私にさえ、各テレビ局の営業から接待・贈り物攻勢をされ、盆暮れの季節になると、アパートの玄関がそういうもので一杯になったこともあった。

こうして広告の世界から身を引いた年、たまたま父から海外にある浮世絵を調査に行くので付いてこないか、と誘いを受けた。私は嫌々ながら、父の誘いに乗ることにしたのだが、その時にちらっと思い出したのは、あの印象派の画家たちの日本贔屓（びいき）のことである。

私の父は、生涯大学で浮世絵と日本近世絵画を教えていたが、元々は神道美術が専門の日本美術史家である。「那智瀧図」を扱った論文も書いているし、東洋古美術研究誌『国華』には「熊野曼荼羅」を扱った論文も載っている。聞き慣れないかもしれないが、神道美術とは神道に関する絵画、神像（仏教での仏像に相当する）、鏡、刀などの宝物を指す。

父の若い頃、東大の日本美術史の教授だった藤懸静也先生が『国華』の編集主幹をしていたので、父はそのお手伝いもしていたという。藤懸先生は、東大で初めて浮世絵の講義をなさった方だそうで、アカデミズムの総本山みたいな当時の東大では、日本絵画といえば、狩野派、土佐派、大和絵や琳派を指し、浮世絵のような庶民芸術を講義で教えることは、極めて異例であったらしい。

父はその藤懸先生からいわれたことばがとても心に残ったらしく、何度も私に同じことをいった。「神様のことを知りたければ、俗世的なことからやらなければいけない……だから、まずは浮世絵を極めるべきだよ」。そうして若き神道美術研究者だった父は、尊敬する先生の悪魔の囁きを鵜呑みにし、終生よい意味で浮世の世界に耽溺し、そこから神様のおわします上界の世界に帰還することはなかった。

小さい頃、その父は私と同級生数人を連れて奈良・京都へ行き、神社仏閣に触れさせた、というかスパルタ教育を施した。例えば、帰りの新幹線の車内では、法隆寺は唐尺か高麗尺か、どちらの寸法で建てられたか？　と聞く。法隆寺、四天王寺以前は唐尺でつくられていたのだが、この二寺の寸法は高麗尺なのである。

あるいは紙と鉛筆を渡され、今日見てきた寺の伽藍配置図を描け、といわれる。ここに金堂と講堂があって、塔はそこ、と正確に描かないと、車中で楽しみにしていたお弁当があてがわれない。子供には、そういうことが一番こたえる。

毎週一家集合で観る、NHKの大河ドラマも苦痛でしかなかった。隣に座らされて、観ている最中に突然、「関ヶ原の合戦での武将を、東西で五人ずつ挙げよ」といったことが課題に出される。そうなると、ドラマそっちのけで父の書斎に飛んで行き、調べ物をして答えなくてはならない。それは、子供にとっては苦行以外のなにものでもなかった。

父は仏像や絵の見方はなかなか教えてくれなかったが（私が記憶していないだけかもしれないが）、大事なのは美術を含めた「歴史」なのだ、という考え方だったのかもしれない。父の書いた浮世絵の論文や小文でも、浮世絵誕生の背景説明として、歴史的事象はもちろん、歌舞伎や遊郭、建築物、流行の髪型や着物の柄、俳句や狂歌などの当時の社会的現象を必ず盛り込んでいる。重箱をひっくり返して、隅をつついてまたひっくり返すような、極細部にフォーカスする研究よりも、その時代を俯瞰して複合的に見よ、ということだったのかもしれない。

子供の頃に聞かされてよく覚えているのは、権大納言（ごんのだいなごん）の「権（ごん）」は「仮の」とか「臨時の」という意味だということである。大納言の下の位が権大納言。家康が死んで東照大権現と呼ばれたのもそれに倣い、亡き家康は仏様の仮のお姿だとしたのだ、という話。子供にそんな話をするなんて、伊達に垂迹（すいじゃく）（菩薩が民衆を救うため、仮の姿で現れること）美術の研究をしていなかった証だろう。

そんな子供の頃の父との旅は、残念ながら日本美術に対する嫌悪感しか残さなかった。その後、ウォーホル、リキテンスタイン、クリムトに向かったのは、当然といえば当然だったのである。

欧米の美術館にある日本美術を目の当たりに

さて広告代理店を辞めてから父と巡ったのは、浮世絵が多数収蔵された欧米の名だたる美術館だった。ボストン美術館、メトロポリタン美術館、大英博物館、ケルン東洋博物館などなど。中でも世界最高峰のクオリティを誇るボストン美術館のスポルディング・コレクションは、状態を維持するために一般展示をしないどころか、研究目的でも美術館が認めた研究者にしか閲覧を許可しない。それだけ厳重な収蔵方針だけに、状態も逸品揃いだが、その摺（す）りと色の新鮮さは目を瞠（みは）るものだった。変な言い方だが、「昨日摺り上がった複製のように、新鮮で状態がよく、美しい」のである。私の第一印象は、「この色と構図は、まさにポップアート！」で、最良の状態を保つために、長い年月、それらがいかに大事に扱われてきたかを考えると、じんと来るものがあった。

スポルディング兄弟は、帝国ホテル建設で日本に向かう建築家フランク・ロイド・ライトに、金に糸目をつけずに浮世絵の名品を送ってくれ、と依頼した。ライト自身、浮世絵や日本美術品のディーラーもやっており、相当な目利きの人だったのだろうと思われる。その彼の眼鏡に適った浮世絵がアメリカへと渡っていった。

メトロポリタンを始め、アメリカの有名どころの美術館には決まって日本美術品の部屋がある。そこには、時に今でも日本にあれば国宝級の仏像、絵巻物や屏風絵、掛軸や陶磁器、浮世絵が飾ってあり、その収集は現在も続けられているのである。

ある時、父の知り合いのキュレーターに、エジプトやイスラム、中国美術を始め世界の美術の逸品を集めているあなたの美術館が、なぜ日本美術を収集するのかと尋ねたところ、今更そんなことを聞くのかという顔をして、次のように答えてくれた。

「われわれは、われわれの美術館で収蔵に値するものしか集めていない。君は自分の国の美術品が、世界のいかなる美術品と比べても引けを取らず、いかに優れているのかを知らないのか？」

私にとっての憧れの国が、西洋から見れば世界地図の端っこの、戦争で打ち負かした日本という小さな島国の美術品を、せっせと集めている。ある意味、植民地根性的だったかもしれないが、そのことが私を晴れがましい気持ちにさせた。彼ら外国人の日本美術品に対するリスペクト、その収集と保存にかける思いの深さも知ることができたことが、父との美術行脚(あんぎゃ)のハイライトであり、私の日本文化回帰への大きな転換点となったのである。

その後、日本美術をこよなく愛する外国人を何人も知ることになるのだが、時に彼らの方が日本人より我が国の文化を大事にしているのを目の当たりにした。愛おしそうに能面や焼物を眺めて、「眼福にあずかりました」などと日本語でいわれると、本当に心が動く。

日本美術との再会

父との旅では、私が子供の頃、留学生で父の教え子だった英国人のセバスチャン・イザード氏が現地でサポートをしてくれた。セバスチャンはロンドン大で歌川国貞を卒論に選び、その博士論文を完成させるために日本に留学しに来たのだが、文部省(現・文部科学省)から浮世絵を学ぶなら私の父、ということで、父のもとに来たのだった。現在アメリカ随一の日本美術ディーラーになっているセバスチャンは、当時は痩せて背の非常に高い、寡黙な人で、たまに私の家族と一緒に食事をしたり、歌舞伎に行ったりしていた。今でも交流のある彼は、口癖のようによく「カツラが半ズボンの頃から知っている」という。

彼は当時、クリスティーズ・ニューヨークの日本・韓国美術部門長だった。その彼が私と父がアメリカを去る時、クリスティーズが日本人を探しているから、うちに来ないか、と誘ってくれたのだが、私は即答ができず、曖昧に「帰国したら、また広告会社か、好きな映画関係の会社で働くかもしれない」と答えた。セバスチャンいわく、まずロンドンで安月給の研修社員を一年やり、生き延びたら社員になれるというシステムらしかったが、仏語受験・専攻だったこともあり、「英語I」の単位が大学四年生でやっと取得できるほどの体たらくだったことが、尻込みの大きな理由だった。

結局、「ロンドンに住めるのは一生で今しかないに違いない」という短絡的な考えで、クリスティーズにお世話になることを決めたのだが、「まさか」が二つ付いたことになる。まさか西洋かぶれの私が、まさか英語が大の苦手の私が、日本の古美術を扱い、英語をメインに使う英国の会社の仕事に就くとは思わなかった……人生、本当に先に何が待っているか分からない。

私はこんな風に遅ればせながら日本の美術と出合ったのである。そのことはさらにクリスティーズの中で異端児であったことで、より強く意識させられるようになったのだが、そのストーリーはまた後に語ることにしよう。

第2章　一流のものを見よ、触れよ——美意識の高め方

1　真のグルメはA級もB級も分かる

いいものだけに触れる

数年前、雑誌『BRUTUS』（マガジンハウス）で和菓子の「あんこ」特集があって、各界のあんこ好き一〇〇人に「好きなあんこ」菓子を三つ選べというアンケートを取った結果、私ともう一人が選んだ、神保町亀澤堂の豆大福が「大福代表」の一つに選ばれた。たった二票を取っただけで代表入りするとは、相当票がばらけたことになる。

この豆大福の抑えた甘さは上品で、飽きが来ない。近隣の家や会社ではおやつに買ったり、お使いものにしたりしていた。昨今の言い方でいえば、B級グルメといった部類に入るものかもしれない。

が、いつもそのことばを聞くと、一つの疑問が心に浮かぶ。

B級グルメという以上は、A級グルメを知っているのだろうか。

Aと比較したらBだった、ということでないと、Bとは名乗れないはずである。Bだけを食している人にAが分かるだろうか。その反対であれば、つまりAを知っていれば、B

のよさも分かるとは思うのだが。

私の知り合いで口のおごった、相当にA級グルメの人がいるが、どこそこのアジフライがうまい、餃子がうまい、といってはB級グルメの名店と呼ばれる店にも足を運んでいる。私はそういう人の舌を信じる。「美味しさ」の普遍的な基準を知っているからだ。

絵を見るのも、同じことではないか、と思う。よいものだけを見ていれば、いつか目が肥えて、よい悪いが瞬時に分かるようになる。私の骨董の師匠も、よいものだけを見ていればいい、と教えてくれた。

音楽でも、例えば世界最高峰のベルリン・フィルやウィーン・フィルを聴き慣れていると、並あるいは並以下の演奏がすぐ分かる。反対に名演奏を聞いたことのない初心(うぶ)な耳であれば、誰の演奏を聴いてもうまく聴こえてしまう可能性がある。

私は能や歌舞伎が好きで、小さい頃から足を運び、今でも機会を見ては舞台に接している。小さいながら、母親から今日の役者の出来・不出来を聞き、自然と舞台の見どころや、「型」のよし悪しなどが頭に入ってくる。そしてそれを重ねる内に、審美眼といったものが育ってくるのだと思う。

伝統芸能の「基準値」

よく能を観ると決まって寝てしまう、という人がいる。私は「大丈夫。一五分経っても、舞台上に大した変化はないから」と変な慰め方をしている。また不思議なことに、普通の演劇の舞台を観ていて、それが途中で一五分も寝てしまうような演し物だったら、料金を返せといいたくなるだろうが、能に関してはそういう苦情は決して出ないのはなぜだろう……それも伝統の力、というのは、もち上げ過ぎだろうか。

その伝統芸能にも、時に実験能とか実験歌舞伎のような舞台が試みられる。そういう舞台を観た時に、自分の中の〝計り〟のようなものがどう振れるかで、自分なりの評価が決まってくる。私の中にはこれが歌舞伎だ、これこそが能である、と思っている基準のようなものがあって、そこが押さえられてさえいれば、概して点数は高くなる。

伝統というものが革新の連続の結果である以上、伝統に革新という接ぎ木をする試みは、それを活性化させる意味合いがあるかもしれないが、問題は「やり過ぎ」の革新的と呼ばれる舞台を、なぜあえて能とか歌舞伎とか呼ばねばならないのか、ということである。その基準値オーバーが分かっていない舞台が散見されるのも事実だ。

その「基準値」を外すと、もうその舞台は能とも歌舞伎とも呼べない、あるいは呼ぶ必要のないものとなる。それならば始めから能だ歌舞伎だなどと呼ばないで、新しい舞台芸術として別の名前を付けて演った方が、真の革新的舞台としてよいのではないかと思う。

現に舞踏の山海塾には、非常に分かりやすく能の影響がある、と思うが、彼らは自分たちの芸術を「舞踏能」とか「暗黒能」とは呼ばず、「ＢＵＴＯＨ」を名乗って恬としている。

伝統芸能の新しい試みが成功するには？

これに関して思い出す経験がある。それは今はなき銀座セゾン劇場で上演された、ピーター・ブルック演出によるシェイクスピア「真夏の夜の夢」である。二〇代の頃に観たのだが、私はその舞台に明らかに能を感じたのだ！　どこにもそれを謳ってはいないが、能がもつ幽玄で、時を超えていくような雅なものを表していた。後で調べてみると、確かにブルックは能をかなり意識して演出をしていることが分かり、あえて能と謳わずとも、接ぎ木した意味は大きいし、それは純粋に彼の新しい芸術の誕生ではないか、と思う。伝統にもたれかかって表面だけを利用しなくとも、伝統を基に新しい芸術を生み出すことができるいい例である。

あるいは最近でいえば、駐日ポーランド大使だったヤドヴィカ・ロドヴィッチ・チェホフスカさんが脚本を書き、演出をした「ショパンの能」と銘打たれた「調律師」という舞台も、能の要素を壊さずに、新作能の斬新さを感じさせるものだった。

ショパンの友人であるドラクロワ（ワキ）が、かつてショパンと一緒に仕事をしたことのある館にやってくる。そこはショパンとジョルジュ・サンドの愛の巣でもあった。その館のドラクロワを老いた調律師（シテ観世銕之丞）が訪ね、自分が実はショパンの霊であると告げる。中入後、ドラクロワがうたた寝をし、舞台上のすべてが止まっている無の静寂の中、舞台下に置かれたピアノでノクターンが奏でられ、この夜想曲の旋律が観客をドラクロワの見る夢に誘い、文字通り「夢幻能」的夢見心地にする時間は、あまりにも斬新かつ重要である。やがて夢の中で、在りし日のショパンが舞うのだが、私には十分に堪能できた。

別の機会に観た「現代語能」では、謡の「娘のことが心配だあ〜」とか「どうするのだあ〜」ということば遣いに思わず笑ってしまったが、これは実験みたいなもの。逆に「英語能」は英語の謡が意外に調に乗り、メリハリがあって、これはこれで悪くなかった。

また杉本博司氏がニューヨークのグッゲンハイム美術館で、野村萬斎師を起用して演出した「三番叟」は非常に優れたものだった。

現代美術家が三番叟を演出するとどうなるか、との期待と不安があったが、杉本氏は三番叟の原点は崩さず、装束と演出を斬新で現代的なものにし、しかも演題もシンプルに「三番叟」とすることによって、却って新しい舞台表現を可能にしたと思う。接ぎ木はまさにさじ加減なのである。

現在の歌舞伎にもいいたいことがたくさんあるが、中身とか演技とかいう前に、歩き方一つにも型のようなものがあって、それができていない役者は見ていられない。現代劇を長くやり過ぎたり、筋トレで鍛え過ぎていたりすると、身体が歌舞伎から離れていってしまうように思える。

それは例えば素踊りを見ると、よく分かる。腰ができていないと軸が安定せず、ブレブレでみっともない。稽古を積んできている人は、すり足の所作や腰の入れ方を小さい頃から身体に覚えさせるから、こちらも安心して見ていることができるのである。それをいい加減にごまかすと、慣れた観客の目にはすぐ分かってしまう。「五代目菊五郎がよかった」式のことを、よく昔語りのようにいうが、伝統芸能の世界では、普遍的で立派な芸の規範があって、そこを基準によし悪しを考える傾向が強い。それは古美術を見る目と似ているところがある。

楽焼に見る伝統と革新

楽焼の創始者である長次郎は、安土桃山時代を代表する京都の陶工である。その長次郎の茶碗は、無理とは思うが私が一生の内にいつの日か欲しい茶碗の最高峰だ。特に長次郎芸術の枠といえる「黒楽」は、文字通り真っ黒の茶碗で、それまでの茶碗を考えると、かなり異様である。利休と出合って、お茶の世界の革新を図っていた彼の求めで、その黒い楽茶碗を焼いた。それも轆轤を使って成型しない、手捏ねするものであった。

長次郎の茶碗は、その誕生以来四〇〇年間のほぼすべての来歴が分かるものがあるくらい、人々に愛されてきた。いま国の重要文化財になっている「大黒」はそのよい例で、現在も個人蔵ということを考えれば、いかに時代を超えて茶人に大事にされてきたかが知れる。

利休以前のお茶は大名茶会で知られるように、大広間で将軍、公家が多人数を招いて盛大にやるものだった。それは例えば、天目台に載った唐物の天目茶碗を用い、広い床の間には大幅の三幅対の掛軸を掛ける。花生も金属製のものを使い、花の生け方も大振りに飾る立花といわれる形式のものが好まれた。

それを利休は晩年になって、茶室を二畳の暗い空間に押し込め、茶碗は真っ黒なものにした。野にある竹を切ったり、ふくべの芯をくり抜いて花入れにつくったり、利休の革新は徹底したものだった。

彼は堺の納屋衆というから、倉庫業者であろうか。父親の店の屋号は「ととや」というから、魚屋であったという説もある。そういう町衆の中から真の革新者は生まれ、その革新性は天地をひっくり返すようなものだったのである。

もし現代に利休の思いを引き継ぐのであれば、その革新の精神をこそ引き継ぐべきだと私は考える。形をまねるだけなら、伝統は死んでいくだろう。

2　美には絶対値がある

美術品に値段を付けて売る仕事

私は〝美の絶対値〟がある、と思っている。例えば音楽畑の複数の知人に三つの抹茶茶碗から好きなものを選ばせると、一番優れたものを指さすことが多い。それは、美的な修練がされてきているからではないか、と思う。

美術品に値段を付けて売りに出すのが私の仕事である。どういう値段を付けるかが仕事の生命線になるので、絶対値がないと、自信をもって目の前の美術品の値段が決められない。オークションでは、その値付けからビッドが始まっていく。

普段からいいもの、最高のものに触れていないと、自分の基準ができてこない。この美の絶対値は、分野ごとにあり、例えば江戸浮世絵の肉筆美人画の絶対値もあれば、木版美人画の絶対値もある。もちろん焼物や漆工品、屛風絵や仏像にもある。それぞれの絶対値が頭の中にインプットされているのである。

当然、私と比べて絶対値が高い人もいれば、低い人もいる。それはその人の絶対値なのであって、どちらが正解に近いかはマーケットが決めることになる。

美術品を購入する側は、私が付けたその価値基準を見て、算盤をはじく。過不足ない値付けだとなれば、彼らは私の能力を信用するだろう。

そのことで、一度、赤恥をかいたことがある……三点一緒にオークションに出した浮世絵の内、二点は安いが確実に江戸期のもの、もう一点の歌麿の美人画は状態があまりにも綺麗だったので後世の後摺り作と判断し、リプロダクションとして、三点併せて約二〇万円でカタログに記載した。

ところが、その版画三点ワンロットのオークションが始まると、なぜか急激に値が上がっていくのである。結果、そのロットは約二千万円で売れたのだが、コレクターや業者は、その歌麿が実は江戸時代の本物の、しかも状態の素晴らしい名品であることを見抜き、下見会で私の付けた値段を見て、きっとニヤニヤしていたことだろう。買い手も一人なら安く買えたろうが、何人かのプロが気づいたので値が上がってしまったわけである。

歌麿を落札したのは、先程も名前が出たセバスチャンで、私のかつてのクリスティーズの上司、今や世界で押しも押されもせぬアメリカ随一の東洋美術ディーラーだ。オークション後、私のところに歩み寄ると、彼はしたり顔で"Katsura, you are blind !"と言い放った。

魔が差したといってもいいかもしれない。長い専門家生活を送っていれば、似たようなミスを犯したことも確かにあるのだが、毎回後で気がついて茫然自失となる。意外と自分の強い分野で間違いを犯すことが多い気もするが、それも「自分は分かっている」という驕った精神のゆるみのせいかもしれない。この時もコンサルタントを頼んでいる、元米国著名美術館のキュレーターの同僚も一緒にチェックをしたのだが、二人してまんまと見逃してしまった。なんであんなミスをと思うが、ミスとはそういうものなのだろう。

真贋を見極める

〝美の絶対値〟と絡む問題として、真贋の問題がある。われわれは極力〝ニセモノ〟を排除しようとするが、そこにはひと筋縄ではいかない問題が横たわっている。

オークションの元々の理念は、意外なことに、「真贋保証はしない」ということであった。オークションハウスは意見はいうが、本物だろうが偽物だろうが、自分がいいと思ったらどうぞお買いください、というもので、たとえ偽物でも自分が好きだ、いい作品だと思って買ったら、その人の自己責任ということである。それが歴史とともに次第に様子が変わって、オークション会社が真贋の保証をするものだけが競売にかけられるようになった。

クリスティーズには、真贋保障という制度がある。購入後五年以内であれば、正当な事由を挙げて、その作家や分野の専門家のレター二通を添えて異議申し立てをできることになっている。こちらもそれを誠実に審査して、確かに偽物だったということになれば、返金することになる。

私が身を置く美術の世界には、真贋問題がつねに付いて回る。ひいてはそれを専門にする画家もいて、有名な贋作家は時に映画になったりするくらいだから、サインが本物か、タッチや画材はどうか、展覧会歴や所載歴があるか、よい来歴か、などなどいくつも調べて、その関門を通ったものだけがマーケットに出ることになる。

また真贋とは別の問題として、後世の修復がある。現代美術にはこの種の問題はほとんどないのだが、時代の古いものはどうしても破損が問題になってくる。修復は、経年の姿のままに直す、というのが原則とされるが、過去になされたものを見ると、当時の修復技術の問題があるにしろ、なぜここまで、というのが少なくない。

だから、われわれは絵画であれば、必ずブラック・ライトを当てて、どれだけリタッチ（補彩）やレストレーション（復元）が入っているか確かめている。

先日、ファン・エイク兄弟の「ヘントの祭壇画」が「日曜美術館」で扱われていたが、その中で祭壇画の修復作業が進む内に、リタッチの跡がはっきり分かったことが出ていた。絵の中央に生贄（いけにえ）の子羊が描かれているのだが、その羊が後世のものだったことが分かり、修復後の羊の顔（オリジナル）が前に比べてちょっと間抜けに見えることから、現れたオリジナルの羊にがっかりする向きもあるようだが、やはり絵画的には写実的で優れていると思う。リタッチした人間は、ファン・エイク兄弟の羊よりも、自分がもっと荘厳と思う羊に描き替えたかったのかどうか。

私の取り扱った例でいえば、奈良・興福寺（こうふくじ）の「乾漆（かんしつ）十大弟子立像（りゅうぞう）」がまったくの「大正期の新品」といっていいほどの修復を施したものだった。乾漆とは、麻布や和紙を漆で張り重ねたり、漆と木粉を練り合わせたものから形づくるやり方で、平安時代以降は廃れた制作方法だ。

明治の廃仏毀釈（はいぶつきしゃく）の時に、興福寺の伽藍から大量の破損仏や断片が見つかったのだが、この作品もその折に見つかった四体の十代弟子の内の一体を、大正一一年（一九二二）に仏師菅原大三郎が修復したものだった。菅原はその際に、時代の揃った木片・破片を充てていき、結局ほぼ九〇パーセントが新品（？）といえるほどの作品をつくり上げたのだった。

普通の人が見ても、その修復の跡はほとんど分からないが、もちろんオークションのカタログにはそのことを明記し、菅原の文書も添えられて売却された。

結果、意外に思われるかもしれないが、オークションでは約六千万円の値が付いた。仏像が好きな方も、きちんとした来歴と優秀な修復家による的確な修復法ならOKと考えてくれたのだろうと思う。

弟子に描かせる、工房で描く

もうひとつ真贋に近い話として、工房の問題がある。今まで名前を挙げた岩佐又兵衛、伊藤若冲、葛飾北斎、みんな所帯を構え、弟子が画を描き、自分は印を押しただけと思われるような作品もある。

だから又兵衛作といわれ、その正規の印章が押してある作品でも、どうも他と人物の顔や姿が違うといった場合、それは工房の弟子が主体で描いている可能性がある。若冲にしても、晩年の印章だけがある墨画の鶏の絵が市場にたくさん出回っているが、明らかに工房作と思われる作品が存在する。北斎にも弟子が何十人といて、肉筆画の方にその弟子たちを配置して、絵の量産化をしている。北斎には娘のお栄（応為）を始め、北馬（ほくば）や北渓（ほっけい）といった有名な弟子が何人かいたが、師匠の名前の方が売れるのが当たり前だから、しまいには弟子が落款印章も自分で書いて押しているのでは、と思うことすらある。

では、弟子が師匠作とみまがう程の作品を描いた場合、実際に師匠の描いたものでなくとも、それを単に偽物と呼んでよいのだろうか。それが集団による共同作業になると、余計に問題は複雑になる。画家の個性を皆で持ち合って、全体の絵ができ上がっていくことを鑑みれば、正確にはミケランジェロ工房作や若冲工房作、となるところである。

「アートのお値段」（二〇一八年制作、二〇一九年公開）という最近話題になった映画では、現存作家としての作品世界最高価格をもつアメリカの現代美術家、ジェフ・クーンズの工房が写される。本人がインタビューを受けている間、後ろではクーンズの指示のもと、スタッフが一生懸命に古典絵画のレプリカに筆を入れている。クーンズは、インタビュアーの「あれでも、あの絵画はあなたの作品といえますか?」の問いに、こう答える。「自分の右手に脳が指示を出すのと、何も変わらない」。日本人アーティストでは、村上隆や名和晃平も工房を構えているが、どこまでが本人の手かといっても、意味がない。その作品全体の原案、プロデュース、ディレクションをしたのがクーンズであり、村上隆なのであるのと同様に、又兵衛、若冲、北斎もわれわれはそのように見てきたのである。

ごく最近、とうとうAIによる絵画も登場し、我がクリスティーズでもその第一号作品を扱い、約六千万円の値段が付いた。これは今のところ一回限りの試みだが、そもそもメディア・アートでの〝技術〟の進歩というのは、ある意味、油絵における絵具と筆の進化と同意で、習熟すれば、ある程度の水準に達することは明白である。では油絵制作においての人間に当たるAIが、個性的かつ独創的で、しかも画期的な、観る者の心を打つような作品を描く時代がやってくるのだろうか。逆にAIにそういう作品ができるのならば、別に人間が描く必要もなくなるかもしれない。

個性的な師匠の絵を弟子が代わりに描いたり、まねをして修練したりするのは、例えば「粉本主義」のように昔からあるパターンだが、その師匠の絵が写真を基にしていて、それに着色しただけ、となると、どこに個性が残っているのか、という話にもなる。アンディ・ウォーホルのマリリン・モンローのシルクスクリーンの作品を思い出してもらえばいい。ウォーホルはコーラの壜やキャンベル・スープの缶、あるいはスターのポートレイト写真まで、誰もが目にし手にできるものを作品にしたのだから、まねをする必要もない。

　複製の発端の鐘を鳴らしたのが、マルセル・デュシャンである。彼は普及品の陶器製便器に「泉」と名付け、金さえ出せば誰でも出展できる、自分も委員を務める展覧会に出そうとしたが、協会から断られた。この話の本質は、それをアートとして提出する意味は何か、あるいは何がアートで、何がアートでないのかということで、にわかには分からなくなってくる。

　最初から最後まで人の手でなされてきた芸術の本質から離れて、どんどんコンセプチュアル（概念）な方向に向かうと、既製のものまで持ち出して、アートだといい出すことも可能になる。それを果敢にやったのがデュシャンなのである。

　しかし、この手口は何度も使えない。すぐに飽きが来るし、既製品のコンセプト自体が焼き直しと見做（な）されるからで、作家は次の新しいコンセプトを探すことになるが、どんどん衝撃度が落ちていくことは否めない。

骨董と古美術の違い

青山二郎という骨董が好きなディレッタントがいた。古陶磁評論家であり、本の装丁をしたり、中国陶磁器のコレクターの委嘱で、二千点にのぼる作品の図録を作成したりしていた。それも二六歳の時というから、早熟の人だったのだろう。

その周辺には、骨董の弟子的に小林秀雄や白洲正子がいたこともあって、未だに伝説の人物として語られることがある。

白洲の本を読むと、いわゆる「青山学院」の人々は始終骨董の買い回しみたいなことをやっていて、誰かが骨董店で買ってまたその店に戻せば、知り合いの誰かがそれをすぐに買ってしばらく手元に置くようなことを繰り返している。この現象は「相(あい)目利き」と呼ばれ、どういうことかというと、ある数寄者(すきもの)グループの中に趣味の似た人が多い場合、彼らが骨董店とモノの売り買いをしても、結局モノは仲間内を移動しているだけ、ということなのだ。そう考えると、彼らがモノを秘蔵して、じっと持っているという感じは薄い。

彼ら骨董好きと美術品を扱うわれわれが決定的に違うのは、偽物の扱いである。彼らは自分の好みに適えば、たとえそれが「曖昧なもの」でもかまわない、というところがある。誰が見てもいいと思うものよりも、おもしろくて味のあるもの、自分が発見したものの方がいい、というスタンスである。自分の鑑識眼を主体に考えている、といってもいい。「君子危(あやう)きに遊ぶ」というのか、そういう姿勢をもって、骨董に接している。

他に骨董と美術品の違いは、あるだろうか。一般には、美術的価値のあるなしで分ける考えもある。由来がはっきりしていて、場合によっては制作者も知られていて、数も少なく、クオリティが高い、などのいくつかの条件を備えたものが古美術品と呼ばれる資格のあるものである。明治時代以降「売立(うりたて)」という名で美術品の競りや入札が盛んに行われ、目録が残っているものもあるので、そこで扱われたかどうかも一つの基準になる。

私が扱った伝運慶の大日如来像は、明治時代にお寺から出て、それを一般の方が古美術商から購入したもので、これを誰かが秘蔵せず市中にあったことは、奇跡といっていい。美術品の優れたものは、必ず誰かに発見され、守られて、次の人間に伝えられていく。

そう思うと名品は人が選んでいるというよりも、名品の方が自分を大事にしてくれる人を嗅ぎ分けて、時代を渡ってきたのではないか、と思わされることが多い。

その名品を我がものにするには、通常、何らかの伝手(つて)がなければ叶わない。例えば知り合いの古美術商にちょうどそのものが来て、その古美術商が話のもっていく先として自分を選んでくれなければ、そもそも買い手のサークルに入ることができない。あるいはあるお茶会のメンバーだから話が来た、ということもあるかもしれない。それもサークルに入っているから、やってきたチャンスである。もちろん、ある程度の財力も要る。それにも増して難しいのは、自分が生きている間に、それが売りに出るか、ということである。インナーサークルの一員であることと、運とタイミングと財力、そして「縁」がなければ、いわゆる名品を手に入れる機会はほとんどないといってよい。

いろいろな意味で青山の対極にある作家川端康成の収集は、骨董ではなく、古美術品のコレクターのそれだった。今世紀になって、彼の収集品の展覧会が全国を回ったが、現在国宝指定されている作品や人間国宝の工芸もあれば、草間彌生のような現代絵画まであって、その多様な美意識のあり方に注目が集まった。川端が猛禽のような目でロダンの「女の手」を見つめる写真が有名だが、彼の美意識に適うものを幅広く集めたといえそうである。

ノーベル賞を取ったほどの作家だから、これが欲しい、といえば、いかな有名美術商でも従うしかないから、売り掛けの状態で、多くの作品が川端の手元にあったことだろう。彼が死んだという情報が流れた途端、古美術関係者が引きも切らず集まったという。誰かに引き取られてしまう前に、自分が預けていたものだけでも先に押さえておこうという考えだった。

かつては箱書きを見れば、梅原龍三郎や前田青邨、安田靫彦らの署名があったりして、作家やアーティストが古美術を収集していることがよくあった。最近はその傾向は弱まっているような気がする。

見る眼を試すテスト

真贋そして骨董と古美術の違いに触れてきたが、私が古美術を見る眼を試された話をしよう。外国人でこういうことをする人は少ないと思うのだが、日本人にはたまにプロとしての眼識の確かさを見てやろうと考えるお人がいる。

若い頃、ある有名な業者さんのお店に初めて伺った時、床の間に掛軸が用意されていて、「お宅のオークションに合うかな。売れるなら今日もって行っていいよ」とご主人がいう。

私は正直、その絵に心が動かされなかった。というか、線も甘くて頼りなく、とてもその絵師の真作に見えない。時間をかけて仔細に見たが、その見立ては変わらなかった。

だが相手が相手なので、正直に「難しい作品ですね」とはいえない。悩んだ末に申し上げたのは、「よい作品と思いますが、外国のオークションには向いていないかもしれません」ということばだった。背中に汗が走るのが分かった。するとご主人は若い店員さんを呼んで、「おーい、向かんそうだ」と声低く抑えて言い放った。不気味このうえない言い方である。

試す気がなくても、自分と趣味が合わないと思うと、あまりいい気がしないだろうし、本当に感動しているのか、ことばだけなのかも、すぐに分かる。本心から気が合えば、付き合いも長くなるが、これは外国人との付き合いでも同じである。

私の父も大学院生か助手の時代に、もっと露骨なことをされたらしい。関西のある高名なコレクターに何人かと呼ばれて行くと、部屋の壁にどう見ても同じ仏画が二点並んでいる。

「君らは専門家だから、どちらが本物でどちらが複製か、一発で分かりますやろなあ」

そう言い置いて、彼は部屋を出て行ったという……。私は父からその話の結末を聞いたはずなのだが、覚えていない（あまりにも恐ろしくて、その記憶を消したのかもしれない）。

また私たちの世界には、〝捨て目が利く〟という言い方がある。骨董市に行っても、数百、時には一千点もの作品が並び、一点一点手に取ることのできない場合、歩きながら眺めている最中に、さっとある一点に目が行く時があるのが、それだ。老練の骨董屋さんなどが時折もつ羨ましい能力だが、青山二郎あたりは若年の頃からそういうものがあったのかもしれない。

そこまでの美意識が一般の人に必要かといえば、そうではないだろう、と思う。しかし、年齢がいったら、もう美意識が育たない、ということはない。やはり日常的に美しいもの、気に入った美的なものに触れていれば、感性が育っていくのは、必然なのである。

よく「骨董商は時に偽物をもってくるが、目を瞑って買わないと、後でいいものをもってこない」といったことをいう人がいるが、要注意である。戦前の御大尽コレクターの時代ならいざ知らず、今の時代、にわかにこのことばは信じがたい——というのは、私の経験上、一流の骨董店や美術商は、決してそんなことはしないからだ。

だから、まだ眼が利かないと思われる皆さんは安心して、ぜひとも一流店に足を運んでほしい。心配なのは当然値段のことで、他より二、三割は高いかもしれないが、そこに欲しいものがあったら、それでも頑張ってお金を貯めて買いに行くべきなのだ。なぜなら、一流店に並ぶ作品は「基準作」が多いので、ただ眺めているだけでも目の肥やしや鍛錬になるし、正しい知識と経験に裏づけされた店員さんと話せば、大層勉強になるからだ。

大事なのは、つねに一流のものに接していることである。そうすればその内に〝美の基準〟が育ってくる。

私はニューヨークへ行く時は、必ず一軒、私がグルメとして信頼を置いている顧客から評判のレストランを聞き込んでおき、時間を見つけては出かけて行くようにしている。これは自分の舌をつねにある水準にキープしておくための訓練といえば格好よいが、もちろん食欲の方がその何倍も強い動機となっていることはいうまでもない。

第3章　オークションの現場からアートが見える

1　外国人が好む日本美術

人気のある日本美術

ここではオークションに関わった話をしながら、日本美術の特性にも触れていこうと思う。当たり前の話だが、日本の優れたものであれば何でも歓迎されるというわけではない……が、そこから却って日本美術の特徴が照射されるともいえる。

私がニューヨークで日本美術のオークションを担当し始めた頃、思うように成果を上げられず、苦悩の日々が続いた。そもそもそれまではインターンとしてしか、外国人顧客と接していなかったので、特にアメリカ人のコレクターやディーラーがどんな日本美術を好きなのかがよく分からなかったこともある。それに加えて、不自由な英語の問題も多分にあったろう。

一方で、私の気持ちのどこかに、外国人には例えば「侘(わ)び・寂(さ)び」といった日本美術の真髄は分からないだろう、という驕りもあった。敵を知らず、それも舐(な)めてかかって、戦に勝てるわけがない。

日本の古美術は特殊なものである、と先に書いたが、欧米人が気に入る日本のアートは浮世絵だったり、柿右衛門だったり、若冲だったり、村上隆であったり、アニメだったりする。特にアニメは、今や世界共通の視覚芸術的財産となっているほどだ。

村上隆は最初、世界に進出するのにだいぶ苦戦をした。インターナショナル・マーケットと日本のマーケットでの闘い方が違うということが、今一つ分かっていなかった、と本人も述懐しているし、また草間彌生のアートにも、あの無限的でデザイン的な連続模様にルイ・ヴィトンが目を付けたように、世界中で共通理解され、通用するものが確かにある。

日本美術がワールドマップに戻った時

二〇〇〇年に私は東京からニューヨークへと移り住んだ。初回のオークションは前年からニューヨークの方でお膳立てをしたものだったので、好成績といっても、自分の成果とはいいがたかった。それからしばらく、本当に鳴かず飛ばずの状態が続き、数年後に競合会社であるサザビーズが日本美術のオークションを止めてしまったこともあって、上の方からは部門を閉じる話が何度もやってくる。

その頃の私には妙なプライドのようなものがあって、なんで子供の頃からお茶や能に親しんだ私が、明治のごちゃごちゃした（別名、超絶技巧）工芸品や、派手な色の磁器などを売らないといけないのか、という思いがあった。例えばその焼物でいえば、柿右衛門や鍋島焼のようなものは色鮮やかで図柄も分かりやすく、器形も均斉が取れていて華やかさがあり、外国人にとても好まれるので、海外オークションでの定番商品なのだ。

私は自分が好きな備前焼のような陶器、いわゆる「土もの」をもっと外国人に知ってもらいたかった（いわゆる備前・越前・瀬戸・常滑・信楽・丹波などの六古窯は外国では受けない）。これらは釉薬も掛けず、色も付けず、ただ窯の熱による土の自然な変化を楽しむ器である。そもそも海外には茶道の伝統がないのに、変なところに力こぶを入れて、空回りしていたのである。

それと自分のチームの問題もあった。部内では私が最年少で、私より社歴の長い女性が二人、それに少々気難しい元著名美術館のキュレーターがコンサルタントをしていて、何かと意思疎通が難しかったのである。

それが二〇〇四年だったか、ある企業系の美術館からの極秘の依頼で、多くの日本美術品がクリスティーズで売られることになり、その話が舞い込んで来た時は、さすがに胸が躍った。作品はどれも、業界の人なら皆出所の分かる逸品ばかり。目立たぬように少しずつオークションに出品したが、それまでの日本美術のオークションでは一点一〇万ドルを超えるのも稀だったのが、桁一つとまでは行かないが、かなり高額で売れるようになった。

ひとえに作品のクオリティが高かったのが理由なのだが、周りからも「とうとう山口も（いいものを）出してきたな」といわれるようになり、上からは「日本美術にも結構高いものがあるじゃないか」という評価を貰った。

そこで信用が付いたのか、その後どんどんよい作品がもち込まれるようになり、クリスティーズの日本・韓国美術セールの売り上げは順調に推移した。やがてクリスティーズとサザビーズとのマーケット・シェアは大きく差が開き、サザビーズの日本・韓国美術部門は残念ながら閉鎖されることとなった。日本と韓国の美術品にはそもそも大きなマーケットが存在しないので、マーケットの健全性、活性化ということでいえば、この分野を扱うオークション会社が二社あるべきなのだが（サザビーズは最近ロンドンにてセールを復活させた。非常に喜ばしいことである！）。

二〇〇八年、伝運慶の大日如来坐像を約一四億円で売ったことで、クリスティーズでは日本・韓国美術部門の存続が決定的となった。それまでの日本・韓国美術部門の売り上げは、一回のオークションで三、四億がいいところだったが、印象派のオークションであれば何十億、宝石部門であってもこちらよりいい成績を残していたので、当時のCEOからは、「君は日本美術をワールド・アート・マップに戻したな」という言い方で、初めて褒めていただいた（ちなみにこの時のオークションの売り上げは、約二〇億円であった）。

伝運慶のセールの直後のニューヨークのアートフェアで、村上隆氏に背中を突然叩かれ、「山口君、よくやった！　日本の美術品も一〇億円以上で売れるということを、世界に証明したな！」と、これもお褒めに与かったのだが、そのちょうど数週間後のサザビーズの現代美術セールで、彼の「My Lonesome Cowboy」が約一六億円で売れて、私の「日本人がつくったアートの最高額記録」はあっさり抜かれてしまった……これこそアート作品のもつ「ポピュラリティの差」の結果なのだろう（現在、日本人作家の最高価格は奈良美智の作品である）。

"用の美"を求める

もう少し日本美術の特殊性について触れていこうと思う。われわれ日本人は中国や韓国の影響を受けながら、極東の島国で自らの芸術をつくり上げてきたわけだから、特殊なのもさもありなん、という気がする。

しかし、かつてフリーア美術館が、桃山時代の茶壺を「歴史込み」で評価して購入してくれたことがあった。

それは元来「呂宋壺」と呼ばれる中国南部産の壺で、桃山時代からの来歴、書状、裂、紐などが全部揃った、茶事に用いられる茶壺だが、もしその周りの要素がないただの壺だったなら、一五〇万円そこその評価のもの。ところが、フリーアを始めとするビッダーが歴史などのすべてを加味して評価してくれ、約六千万円の値が付いた。これはアメリカにおける日本の茶の美術のオークションでは、画期的なことであった。

また陶磁器全般でいえば、色鮮やかで器形も完璧な中国の焼物、特に磁器に対して、日本の特に土ものは歪んでいたり、釉がついてむらむらしていたり、ひび割れのような貫入が入っていたりするので、海外の人にはそのよさが理解しにくいらしい。

例えば、焼物で自然に歪んだものは韓国にもあるが、織部焼のように意図的に歪ませたものはない。中国の古染付で歪んでいるものは、ほぼ日本の茶人がオーダーしたものである。古い時代の信楽や常滑には肌が少しぼこぼこしたり、捻（ひね）った感じのものもあるが、織部ほどは歪んでいない。その作為的な歪みへの挑戦は桃山時代、もちろん古田織部の指示から始まったといわれている。

織部の師である利休は端正な茶碗を使っている。利休所持の茶碗の数々、そしてもちろん長次郎も四方（四角形）の「ムキ栗」を除けば、歪まず、正円の茶碗である。織部が師匠の好みをガラリと変えたわけで、とても革新的で勇気あることだと思う。

掛軸や茶器を入れる箱、これ自体が中国や韓国には基本的に存在しない。所有者が箱を用意し、蓋に作品名や作者名、持ち主の名を書き込む。そして、長くよい来歴をもった作品だと、次の所有者がまた同じことをして、新たな箱に前の箱をしまい込む。この行為を引き継いだ人間が繰り返しやるので、箱のマトリョーシカ現象ができ上がることもある。

　茶碗や茶入を入れる「仕覆（しふく）」という袋も日本独自のもの。金襴（きんらん）、緞子（どんす）、間道（かんとう）などの裂でつくられる。

　掛軸にも日本の独創性があって、「風帯（ふうたい）」というのが付いている。これも昔の中国には「払燕（ふつえん）」として存在するが、現代ではほぼ使われていないもので、掛軸最上部の「八双」というところから、「上」の部分に掛けて二本垂れ下がっている。

　表具にもふんだんに裂を使うが、これは掛軸で、文字や絵の描かれた紙や絹の周りに、他の紙や織物で囲んだものをいう（西洋絵画の額縁と思えばよい）。中国や韓国の絵でも、日本人が日本や中国の裂を使って表装したものがたくさんある。生地や模様、また「格式」を本紙作品と合わせ、その持ち主の好みを出すためで、前の持ち主の趣味が気に入らない場合は、好みの別の裂を持ち主や骨董商、表具師が選び、糊を剝がして前の表具から本紙を取り、別の表具に仕込むことになる。

　仕事柄海外に出て行ってしまった掛軸を観ることも多いが、そんな作品に修復が必要になった時に、海外で何かの折に強力な糊（時には接着剤！）で貼り付けてしまい、後の修復ができない状態になってしまっていた作品が多々あった。日本の表具のやり方は、作品の長い将来を考えて、後世の修復の可能性を織り込みながらなされているのである。

金継ぎもそうだが、日本の芸術には、長く使う意識文化があちこちに垣間見える。だからこそ、表具の糊にまで気を遣っているのだが、それは〝用の美〟を求める以上、避けては通れない問題なのだ。長い間使用していれば、使っている内に折れる、切れる、曲がる、剝がれる、割れるということが当然起こる。だから、日本の古美術で修復されていないものは滅多にない、といってもよい。

日本は高温多湿なので、描いたものにはカビ、虫食いやしみができたりする。それを防ぐために、夏や秋の乾燥した天気のいい日に、縁側に掛軸を並べて日干しをすることがある。これを曝涼、やさしくいえば虫干し、あるいは「目通し、風通し」という。日干しをしながら、そこに並べたものの由来や画題を子供や弟子に伝えて、後世に残していくという、一石二鳥の年中行事なのである。

能の世界でも、能役者の家で、夏の頃に面や装束を舞台や外に並べて虫干しする作業がある。私も一度、呼ばれて行ったことがあるが、やはりその際に師匠が若手にものの用途や由来を語り、若手が熱心に聞き入っていたことを覚えている。

日本独特の〝用の美〟の話に戻れば、例えば根付（ねつけ）や印籠といった小さく細かいものへの美意識は現代にも生きていて、少し前に女子高生の間で流行った「デコ携帯」の派手さ、装飾の凝りようにはその二つの伝統が息づいている。また一九八〇年代に「竹の子族」という集団が原宿に出没したことがあるが、若者がアヴァンギャルドなファッションに身を包み、創作ダンスを路上で踊っていた姿は、いかにも桃山時代の「かぶきもの」の再来としか思えなかった。そのかぶきもののアイドル、出雲大社の巫女だった阿国（おくに）は男装し、十字架を首からぶら下げ、刀をもって踊った様子が当時の絵に残っているが、それとそっくりの光景が、竹の子族→アムラー→ヤマンバといった女性のストリート・ファッションの系譜とともに、少し前の日本でも見かけられたのである。

「間」の文化

屏風絵で「誰ヶ袖図（たがそでず）」という江戸初期の作品ジャンルがある。作者名は大概不詳だが、衣桁（いこう）にさまざまな柄の着物がかけられるだけで、通常、人物は誰も描かれていないことから、「誰の袖」というタイトルが付けられている。

右隻の衣桁には亀甲つなぎ、扇散らしなどの衣装が掛かっていて、男物の印籠や帯も下がっている。人物は不在だが、印籠が下がっているのを見ると、昔の人はいわゆる「きぬぎぬ（後朝）の別れ」をイメージしたろうと思う。情事の翌朝の別れを、人物を描かずに着物で表した、というわけである。

こういう風に「隠すことで、主題をより強く暗示させる」やり方は、究極のミニマリズム芸術ともいうべき能にもある。私は「葵上(あおいのうえ)」という曲を初めて観た時に、大きな衝撃を受けた口で、これは主人公である葵上が、怨霊化した六条御息所(みやすどころ)の呪いにより病に伏せ、最後は怨霊が修験者によって成仏させられるという設定なのだが、曲名にもなり主人公であるはずの葵上は、何と舞台には一切登場せず、その代わりにただ一枚の小袖が彼女を「象徴する」ものとして舞台上に置かれるだけ、という演出に私は驚きを隠せなかった。「不在の在」――不在が却って存在を強く意識させる――「誰ヶ袖図」のように、それを視覚化して絵にするということも、日本の美意識の大事な特性の一つという気がする。

非マッチョで繊細？

日本の美術では、武具甲冑を除けば、マッチョだとか男性中心主義みたいなものはあまり感じられず、どちらかというと繊細さが勝っているのではないだろうか。逆にキリスト教世界の芸術は、明らかに男性の価値観ででき上がっている感じがする。

繊細ということでいえば、ニューヨークの有名なネイル・アーティストには、日本人が多いようだ。爪の狭い領域に細かく異常に凝った装飾を正確に施す感覚と技術は、まさに刀の鐔や小柄(こづか)に代表される日本の伝統的意匠に近いだろう。

日本美術の特色とも関連しているのか、外国人の日本美術愛好家にはゲイの人も多い、という印象がある。

元々日本の芸術には男色の文化が脈々とあって、『万葉集』や『伊勢物語』、鎌倉期の『稚児草紙』、また歌舞伎の演目の中には、城に呼ばれた侍がお茶を運んできたお稚児さんに手を出そうとして断られ、見境なく次は女中に手を出すシーンがあったりするし、女を男が演じる女方の文化もある。

今は亡き私の敬愛した米西海岸の名物現代美術ディーラー、R氏は意識高い系のゲイで頭脳明晰、小太りで背が低く、いつも分厚いまんまる眼鏡をかけ、ストライプのスーツに真っ赤なネクタイを締めるような、マンガの主人公に採用されそうな個性派だった。その彼のかたわらには、細マッチョでハンサム、気の弱そうな部下兼恋人であるW氏がいつも控えていて、R氏が電話をする時には、W氏の名前を呼びながら自分の手を肩のところまで上げ、掌を上に向け準備すると、W氏がその上にR氏の携帯を即座に載せる——こんな一風変わった、男同士の主従・恋愛関係のシーンを何度見たことか！

ある時、現代美術部門がR氏を私に紹介してきた。居間のソファの上に掛ける何メートルぐらいの大きさの屏風が欲しい、というリクエストだったので、数週間後の日本美術セールのカタログを送ると、いきなり本人から電話がかかってきて、気に入ったものがあるという。そして、彼は私に次のようにいった。

「聞きたいことがあるのだが、ミスター・ヤマグチ、あなたはゲイですか」

私が、自分はストレートだと答えると、

「それはラッキーだ！　ゲイとストレートでは見方が違うから、僕はストレートであるあなたの意見が聞きたいんだ！」

専門分野外のアートを選ぶ時に、自分が現代美術を専門とするゲイのアメリカ人であることを一旦脇に置いて、真逆といってもよい日本人でストレートの日本美術専門家の意見を聞きたいというわけである。彼の素晴らしい平衡感覚と知識欲、そして物選びの繊細さに、なるほどなあと納得したので、今でもよく覚えている一件だ。

バラバラになり流転した日本美術

表具で思い出すのは、先頃京都国立博物館で催された「佐竹本三十六歌仙絵」の展覧会である（「流転一〇〇年　佐竹本三十六歌仙絵と王朝の美」展、二〇一九年一〇～一一月）。といっても、出品されたのは総数三七本の掛軸のうちの三一本だけで、すべてが世に出てこないのには、いろいろと事情があるからだ。例えば重文指定を受けたくないとか、相続の問題、あるいは保存状態の問題ももちろんあるだろう。

この「佐竹本三十六歌仙絵」は鎌倉時代の作で、絵師は藤原信実（のぶざね）、詞書（ことばがき）は後京極（九条）良経（よしつね）と伝えられる元々「二巻の絵巻物」だが、作者は定かではなく、旧久保田藩主佐竹侯爵家所蔵の三〇〇点が、大正六（一九一七）年の東京美術倶楽部の売立に出品されたうちの一品であった。

「展覧会に出品されたのは、掛軸三一本だけ」と書いたが、「二巻の絵巻物」がなぜ「三七本の掛軸」に変わったかといえば、ある事情によって絵巻がバラバラに切断され、その各々の所蔵者によって今に伝わったからだ。

大正六年に売りに出された時、この絵巻はあまりにも高価だったので、業者一人では誰も手を出すことができず、札元（東京・関西の古美術商）九人の合意で三五万三千円（現在の価格でいえば、三五億円ぐらいだろうか……）で落札した。同年船成金の大金持ちに渡るも、早や二年後にはそこも財政難となり手放さざるをえなくなるが、やはり今度もあまりの高価で買い手がつかない。銀行の資本金が五〇万円以下の時代に、三五万円の値が付いたものを売るのはいかにも難しかったに違いない。

そこで業者の最後の砦、三井の大番頭で、世紀の大美術品コレクターだった益田孝（鈍翁（どんのう））に絵巻が持ち込まれたが、彼も買うことはできず、財界人、古美術商ら関係者を集めて、絵巻をバラバラに切断し、くじ引きによって売却することを提案した。そうすれば、一人ひとりが歌仙一人ひとりを買い取ることができるという寸法だ。

この抽選会は、決められた「歌仙」（と、冒頭の「住吉明神図」の計三七点）がくじ引きで当たる、というシステムだったが、不思議と岩崎家など三菱系の買い手は一人も参加していない。その理由は、このイヴェントを取り仕切った鈍翁が三井の人間だったからだろうか。

京博の展覧会で最も私が目を惹かれたのは、文化庁蔵の「坂上是則（さかのうえのこれのり）」である。歌人の絵の脇に「見よし能の　やま乃しら雪津もるらし　ふる郷（さと）さむく　なりまさるゆく」という、吉野の山の冬の光景を詠んだ歌が書かれている。絵の周りにはその歌に合わせて、何かの事情で不要となった屏風絵の一部を切り取った、室町時代の作と思われる大和絵が表装されている。そしてその表具に用いられた大和絵は、歌意に即して雪が降り積もった山々が描かれているのだから、奥ゆかしくも手が込んでいて、本紙との取り合わせも絶妙なのである。

元来、絵巻物だったものが細かく分断されたことは悲しいことではあるが、そのおかげで一つひとつの歌仙絵が歌、歌人として独立し、また新所有者の嗜好とともに個性的な表具をされることとなり、何か別の美術品として蘇ったということもできる。歴史とは皮肉なものだ。

最後に値段のことをいえば、お姫様を扱ったものが一番高いとされている。三十六歌仙中女性歌人は五人しかいないし、十二単衣の描き込みも多く、配色も美しい。また男性社会的にはやはり坊主や男より姫、ということもあり、そういう評価になるのだろう。分かりやすいといえば分かりやすい。

龍安寺の襖絵の里帰り

お寺にあった美術品が、寺の経営が怪しくなって、民間に渡っていくことが歴史上時折ある。その中でも明治時代の廃仏毀釈が、一番大きな打撃だったと思われる。

明治政府は神道を国教とした政治体制を敷いた。それまでは歴史的に仏教と神道は折り合いをつけて共存をしていたが、神道優先となったことで、仏寺に破壊の波が襲った。本書でたびたび名を挙げる若冲の「動植綵絵」も、明治二二年（一八八九）、所蔵する相国寺が仏画三幅を除く全三〇幅を皇室に献納、その時の下賜金一万円のおかげで相国寺は廃仏毀釈の荒波を凌ぎ、広大な敷地ともども現存しているのだ。

このように、由緒ある寺にはそういう生き延び方や救済もあったが、あえなく所蔵品を手放し、廃寺となる諸寺も続出した。

そんな歴史背景のもと、私は京都の名刹・龍安寺の襖絵を人生で三度扱っているのだが、これは奇縁という他ない。やはり明治の廃仏毀釈の影響で、龍安寺が手放した七一面の襖絵は、当初東本願寺に引き取られたが、その後三井家の仲介により、九州の炭鉱王伊藤伝右衛門に一括で買い取られた。しかし伊藤の経営がまずくなると、襖絵はバラバラに散逸し、その一部は現在メトロポリタン美術館やシアトル美術館等に収蔵されている。

その散逸分の中で、大分県のとある有名温泉旅館に買われたのが、仙人の絵（「群仙図」）四面である。二〇〇〇年、その旅館も手放すことになるとクリスティーズに話が来、私が査定へと向かった時がこの襖絵との感動の初対面だった。そうしてオークション出品が決まったのだが、その時は海外在住コレクターが購入した。そのちょうど一〇年後、オーナーから出品の打診があり、またオークションにかけると、今度はカタログを見て、龍安寺の代理人という人から、同寺が買い戻す意志があるという連絡を受けた。そして今度こそ、幸いにも龍安寺が競り落として、里帰りさせることができた。

もう一点は「芭蕉」を全面に描いた九面の襖だ。あるイギリス人コレクターがそれを持っていることをずいぶん前から知っていたのと、龍安寺に買い戻してもらった経験があったので、「お寺が買い戻すと思いますよ」と誘いをかけたが、相手は気乗りのしない風だった。それからしばらく経って、東海地方のある収集家と話をしていたら、「ああそれ、今うちにあるよ」という話になった。そのイギリス人コレクターから購入後、あまりにも気に入ったので、襖絵を鑑賞するために大きな離れをつくり、そこに襖用の広間を設えたという。

その後、離れと襖を拝見しに行ったのだが、それは見事なもので、「いつか気が変わったら売らせてください」とはいったものの、可能性があるとは思わなかった。が、何年か経って先方から電話があり「売ってもいいよ」というのでいそいそと面談に行ったが、値段が折り合わず、その話は立ち消えになった。ところがしばらくすると、またコレクター氏から連絡があって、今度は「あなたのいう値段でいい」という。「君にはお世話になったし、龍安寺さんに襖が戻るならそれに越したことはない」ということだった。その連絡を貰った時、実はその方は重い病に冒されていて、一昨年（二〇一八）の末、龍安寺に襖絵をお戻しした後、間もなく亡くなられた。善行をされたと思う。

襖絵のように枚数が多くあると、一括で買うには費用がかかるし、屛風と違い嵩張るので、買い手がつきづらく、美術商がバラにして売ってしまうことがよくある。特に明治時代には、財力のある海外の美術館が、その中でもよい部分の二面とか四面を買い入れたケースが多く、龍安寺の襖絵も現在メトロポリタン美術館がその内の八面、シアトル美術館が四面をもっているのだが、いずれもよい絵柄の部分を所有している。

私は現在オークションへの出品物探しを離れて、個人のコレクション、または単品の高額商品を、美術館や別のコレクターなどへ橋渡しする「プライベート・セール」を主なる仕事としているが、プライベート・セールには「美術史」に触れている、携わっている、という感覚がものすごくあって、この龍安寺の襖絵もそうだが、それがこの仕事の醍醐味の一つと確信している。

これと似たケースに明石城の襖絵の流転がある。明石城の火災後、藩の家老が受け継いでいたものを、有名古美術商が一括で買い取り、戦後バラで売り出した。その時はフリーア美術館と米仏の個人が購入したが、フリーアがもっているのは襖絵全体を六隻の屏風にした内の両端の三隻で、当然、中央の三隻部分が欲しかったはずだが、米仏個人の二人が買った後だった。後年、その米仏のコレクターが同時にサザビーズのオークションに出した中央部は、その時もフリーアの元には行かなかった。

そのオークションで競り落としたバイヤーは、私も知っている日本人コレクターだったので、その後交渉を続けた末、二〇一二年にクリスティーズに出品してもらったのだが、残念ながらその三隻は未だフリーアには収蔵されておらず、今は某有名ＩＴ企業ファウンダーの富豪のもとにある。

なぜ中国美術のセールをニューヨークで？

大阪の藤田美術館から、耐震の問題もあって館の改築のための資金をつくりたい、そのために手持ちの三〇点ばかりの中国関連の美術品をオークションにかけたい、というお話をいただいた。出品されるものは、清朝第六代皇帝乾隆帝が所有していた「六龍図」など超一流のものばかり。

サザビーズ他数社とのコンペだったが、価格設定や経費に関するサービスでそう差が出るとは思えなかったので、いくつかの戦略を立てた。競合他社は香港でのオークションを提案するだろう、と私は踏んだ。当時、一番中国美術品にお金を出していた買い手として中国人を想定すれば、穏当な判断である。

しかし、私はニューヨークでのオークション開催を提案した。理由として自分が住んでいたこともちろんあるが、ニューヨークという場所には世界中からいかなる分野においても最高級の美術品と買い手が集まるからで、この街で中国古代から清朝までの逸品を競りにかけることが、中国人の愛国心と競争心をくすぐるだろうと考えた。わざわざ中国から遠い、世界覇権のライバル、アメリカのしかも世界の芸術の中心地ニューヨークでオークションを開催することで、自国に買い戻そうという意識が一層強くなるに違いない。そもそも中国人は競争心が強く、熱くなってビッドしていくタイプが多く、売り上げを上げるには、そういう演出も必要ではないかと考えたのである。

それと最近の世界的傾向では、スーパー・リッチのアート・コレクターは、何か一つの分野や作家の収集に専念するよりも、いろいろな分野の優れた作品を揃えたい、という人が多い。中国の古代青銅器は今見ても前衛的な造形で、ジャコメッティの彫刻の側にあっても全然おかしくない――そう捉える人も多いのではないか、と考えた。

また開催時間も、夜のオークション（イヴニング・セール）を提案した。イヴニング・セールは、印象派や現代美術、コレクション・セールの分野ではやることがあるが、それを中国美術にも応用したのである。これでセールにも特別感が出て、やはり中国人の虚栄心をくすぐるはずだ。かつてはわれわれオークション会社側も、イヴニング・セールに出る社員にはブラックタイが義務付けられていて（残念ながら今はやっていない）、私がトレイニーをしていた当時、クリスティーズ・ロンドンには東洋人の社員が数名しかいなかったため、ブラックタイとタキシードを着こなせていなかった私などは、イヴニング・セールに出席するクライアントから、社員ではなくケータリングのボーイさんによく間違えられたものだ。

閑話休題。

そして落札予想価格を一～二割下げた。事前に開かれた香港のオークションの成績が悪く、いつもの半分ほどの売れ行きだったせいもあるが、予想価格を下げることによって値頃感を出し、入札者を増やして、競りをより活発にしたいという思惑もあった。

結果、このような提案をしたクリスティーズが幸運にもコンペに勝ち、数カ月の準備の末、東京・大阪・香港・ニューヨークでの下見会が行われ、本番の日がやってきた。香港のオークションの不本意な売り上げがうそのように、各作品とも予想価格をどんどん上回る競りが続き、とうとう東洋美術のオークション史上売り上げ最高額の約三〇〇億円を達成し、オークションは終了した。

自国所蔵アートの流出を防ぐには

クリスティーズは現在ニューヨーク、ロンドン、パリ、香港、ジュネーブ、ドバイなどでオークションを開いている。香港はアジアの古美術と現代美術、宝石、ワインと時計が中心で、ロンドンとパリはオークション会社も多いが、輸出入に関連する法律も少し難しいところがある。ニューヨークは世界中から最高のものと人と金が集まってくるので、当然売り上げも一番大きいと、一応区分けすることもできるが、ネットでオークションに参加できるようになって、その違いはだんだん不分明になりつつある。

日本の美術品がイギリスやフランスのオークションで売れ、国外に出る場合、輸出許可（エクスポート・ライセンス）を取る必要が生じる場合がある。

また日本から古美術品を輸出ということになると、文化財に指定されているものは法律上輸出できないので、「この作品は文化財ではない」という国からの証明書である「古美術品輸出監査証明」を提出する。それでも、その作品が重要なものだったりすると、国が、ちょっと待った、といってくることがあるが、これは民間の取引に国が介入することを意味するので、決して強制ではない。もし国が強制的に関わりたいというのであれば、国宝や重文の指定をして、それを購入しなくてはならない。

こういう制度ができたのは昭和八年（一九三三）のこと。平安時代の作といわれる「吉備大臣入唐絵巻」が大正一二年（一九二三）に売立に出て、その際古美術商が落札したが、関東大震災の不景気で国内の買い手がつかず、海外に強い山中商会に買い手の斡旋を依頼する。その甲斐あって、ボストン美術館で岡倉天心の後を襲い、東洋部長を務めていた弟子の富田幸次郎が昭和七年に購入し、今でもボストン美術館に所蔵されている。

そこで、重要な美術品が流失してしまったことを大反省した国が翌年つくったのが、国内の貴重な美術品の海外流失を防ぐ目的の「重要美術品等ノ保存ニ関スル法律」である。その経緯からも分かるように、現在でも日本にある西欧の美術品は基本的に対象外で、ルノアールでもピカソでも持ち出しが自由であるが、歴史的に重要と思われる中国や韓国などの東洋の美術品は、輸出監査証明が必要である。

これと似た法律は世界各国にあるが、中でも厳しいのがフランス、イギリス、イタリアだろう。特にフランスは自国の美術品ばかりか、世界から集まった重要なアートも対象なので、時におかしなことが起こる。

パリでのオークションに参加していると、ある作品が売れ、オークショニアが買い手のパドル番号を呼んだ瞬間に、会場の後方でやおら手を挙げて叫ぶ人がいる。

「私は国立美術館機構の者だが、その作品の購入に興味がある！」

なんで買い手がついた後にセールを蒸し返すのか……フランスでは落札者よりも公的美術館に優先権があって、二週間、購入に関する考慮の時間が与えられる。しかも、後出しジャンケンをしたからといって、一般人が落札した値段より高く買うということもない。

そもそも買い手からすれば、必死に頑張って落とした作品を後から寄越せといわれること自体腹立たしいに違いないが、そのうえ美術館が買えばまだしも、二週間待った末に見送りとなって自分のところに戻ってきたら、どんな気持ちがするだろうか。欲しい！　と激していた気持ちも冷めてしまったりしないだろうか。

フランスはこれを自国製アートだけでなく、国内にある外国製のアート（浮世絵も含む）

にまで網をかけている。

アート購入の開かれた機会を何びとにも提供するオークションの理念からは、かけ離れているといわざるをえないが、文化財保護という見地からの国の政策なのだから仕方ない。

2　コレクター秘蔵品は〝フレッシュ〟である

若冲の大コレクター、ジョー・プライス

展覧会で並んだ絵の後ろ側には、さまざまな人間の思いがうごめいている。それを知ると、アートの見方も身近なものに変わってくるのではないか、と思う。

例えば、こんな話から始めてみよう。

伊藤若冲作品の収集で知られるジョー・プライスさんが、初めて若冲に出合ったのは、まったくの偶然からだった。ある時プライスさんは、父親の会社のビルの設計者であり、当時グッゲンハイム美術館建設の仕事でニューヨークにいたフランク・ロイド・ライトに会うために、ニューヨークに行った。自分用に車を買う用事もあった。

ライトのことは先にスポルディング・コレクションのところで触れたので、覚えておいでの方もおられるだろうと思う。建築家でありながら、日本美術のディーラーもやっていた人物である。

プライスさんがライトと会った日、ライトは自分の趣味もあって、プライスさんを行きつけの骨董店に連れて行った。そしてプライスさんは、そこで見た一本の掛軸に雷に打たれたようになってしまった、という。一度はライトと店を離れ、車も見てホテルに帰ったけれど絵のことが忘れられず、急いで骨董店に戻り、スポーツカーを買うために用意していた資金をその絵の購入に充ててしまったのである。その絵こそ、若冲の「葡萄図」だったという。

プライスさんが日本に頻繁に来るようになったのは、一九六〇年代半ばの頃から。ビジネスというよりも、趣味のために日本に来ていた。プライスさんは気さくな方で、研究者たちも積極的に受け入れていたので、『奇想の系譜』の著者である辻先生を始め、今は皆大先生になられた当時の東大日本美術史の学生さんも、ちょくちょくプライスさんのところに顔を出しておられたようだ。

若冲は江戸時代、特に京の都ではよく知られた絵師で、『平安人物誌』という本では、京都の文化人、名士のランク付けで上位にランクされるほどだった。京都錦小路(にしきこうじ)の青物問屋の若旦那で、商売にまったく身が入らず、早くに隠居したことは広く知られているが、近年、隠居後も町年寄を務めたり、市場存続のために動くなど、絵だけを描いていたわけではないことが分かっている。彼は元来、狩野派や宋元画を学び、花鳥画をよくした人で、その中でも仏画的意味合いをもつ「動植綵絵」は、相国寺に寄進されたものである。

明治以降、若冲は段々と忘れ去られた存在になっていった。大正一五年（一九二六）に秋山光夫の研究が発表され、昭和二年（一九二七）の恩賜京都博物館での展覧会が催されたものの、それ以降は一九七〇年に辻惟雄先生の『奇想の系譜』が出版されるまで、ぱたっと彼の名は美術史から消えてしまう。正統な画派に属していない、浮世絵でもない、という理由だったのかもしれないが、実際のところは不明である。

ただ、当時の彼の絵の価格はそれほど高くはない。文久元年（一八六一）の『新書画価録』では、蕪村三五匁、呉春二五匁、芦雪三五匁、文晁三〇匁だが、若冲は七匁五分である。ちなみに池大雅が金千匹（2.5両に相当）、応挙は金一枚（10両に相当）となっている（瀬木慎一『名画の値段』新潮選書）。

そう考えると、若冲の名はプライスさんが復活させたといってもいい。そこに辻惟雄先生が絡んで、若冲の再生が図られたわけである。本の出版が契機となったというのは極めて異例だが、もちろん東大日本美術史出身のサラブレッドである辻先生が、正統的日本美術史から外れた絵師を再発見する著作を書かれたという事実も大きく作用していると思う。もう一つ言えば、全世界的なサブカル文化への注視が伏流としてあったのではないか、という気がする。正統でないものに目が行きやすかった、ということである。

現代における若冲の評価は、まず一九七一年に東京国立博物館で特別展があり、一九八四年のサントリー美術館でのプライス・コレクション展、若冲ブームの火付け役となった二〇〇〇年京都国立博物館での若冲展を経て、二〇〇六年には東博で大々的にプライス・コレクションが再びお披露目され、二〇一六年の東京都美術館での生誕三〇〇年記念展覧会は連日長蛇の列で、私たち自身、その人気の過熱ぶりに驚いたほどである。

また若冲の「鳥獣花木図屏風」（旧プライス・コレクション、出光美術館蔵）は、宇多田ヒカルの「SAKURAドロップス」のプロモーションビデオに用いられ、最近ではチームラボがこれまた「鳥獣花木図屏風」と「樹花鳥獣図屏風」（静岡県立美術館蔵）をモティーフに、「Nirvana」という映像作品を制作し、鳥や象を動かす試みを行っている。これらの屏風には、画面を升目に分割して描く「升目画」の技法が見られるが、この作品もそれをヒントにデジタル化してつくられたものである。

若冲ばかりかクリムトでもフェルメールでも、一般の方には突然有名になったように見えるかもしれないが、それまでに研究・展覧・マーケットなど各分野での、いくつかの段階を踏んで、人気が沸騰してくる——そのプロセスは、アートの世界にいる私たち自身にも読めないところがあるのだが。

私はプライス夫妻のご自宅で、きちんと整理・保存された若冲作品を、工房作や参考品も含めて見せてもらい、勉強させていただいた。こんな勉強なら毎日でもしたいものである。

お金のある場所にアートは集まる

経営学、「マネジメント」の神様といわれるドラッカー博士のコレクションも、私がお手伝いをさせていただいて、日本に里帰りしている。そのコレクションは水墨画、禅画、文人画の掛軸を中心とする約二〇〇点だが、その中でも室町時代の作品には貴重な水墨画が含まれている。私は博士とは面識はないのだが、一〇三歳で亡くなられた奥様、そして故人の遺志を継いだ娘さんが、家族を代表してコレクションの管理を行っていた。

博士は日本の高度成長の姿を見るために、たびたび日本にやってきて、経済界の人とも親交を結んだため、作品は一九七〇〜八〇年代に揃えたものが多い。といっても、日本美術への関心は、二〇代に「恋におちて」目覚めたものだというから愛好の歴史は長い。

経済とアートは実は深いところで連動していて、明治期の勃興する日本と第二次世界大戦後の急成長する日本は、世界の注目の的で、海外からビジネス目的で往来する人も増えてくる。その機会に日本の美に触れて、日本や日本人をもっと知るために日本美術を買いたい、集めたいと考えた人がいたのも、自然なことである（だから、プライスさんのあり方は特殊かもしれない）。

そこから行くと、今の日本美術市場は、世界の中の日本経済と同様に寂しい限りである。以前はニューヨークとロンドンで年に二回ずつあったライヴ・オークションは、まずロンドンが閉じられ、私が日本に来てからはニューヨークも年一回だけになり、小規模なオンライン・オークションに移行している。その間に中国が世界の経済、そしてアート・マーケットで存在感を増した。日本経済に魅力がなくなれば、必然的に日本をビジネスで訪れる外国人は減り、日本美術のよさに気づく外国人も減る。ビジネスチャンスを狙っている外国人は日本を通り越して、中国へと向かってしまう時代なのだ。

現金な話で恐縮だが、お金のあるところにハイクオリティなアートが集まるのは、ある種の必然である。だから、大規模カジノに美術館が併設されることが多い。カジノの経営者がコレクターだったりするし、それにアートがあることで、ギャンブルの悪いイメージが薄まる効果を期待するということもある。今、日本への誘致で話題となっている「ＩＲ（Integrated Resort）」もそうなるのではないだろうか。

オークションに見る国民性の違い

オークションの前になると、外国人コレクターは、「自分は何々にビッドする」と教えてくれることが多い。「それでいくらぐらいになりそうかな」と、ビッド・アドバイスを私に聞いてくる。ところが、日本人は大概むっつり押し黙ったままで、これはどういう国民性の違いから来ているのか、と思う。

芸術的な好みということでいえば、アメリカ人はあまり複雑なものは好まず、「これが好きだ！」となると、日本人より欧米人の方が熱く、しつこく求める傾向が強い気がする。ニューヨーク時代の友人でもある佐々木芽生（めぐみ）監督のドキュメント映画、「ハーブ&ドロシー」（二〇〇八年制作、二〇一〇年公開）を観ると、そのへんのことがよく分かる。ヴォーゲル夫妻の夫の方ハーブは元郵便局員で、抽象画の画家でもある。奥さんのドロシーは公立図書館の元司書で、二人は働いて稼いだお金を必要な生活費以外はすべて現代アートの収集につぎ込んできた。

それを1LDKの部屋に詰め込んで生活していたのだが、絵を選ぶ基準の一つは、その部屋にスペース的に収まる、ということであった。また、彼らは必ずアーティストに直接会って、制作の動機や背景を聞くことを習慣としていた。

夫妻はそのコレクション二〇〇〇点をワシントンのナショナル・ギャラリーに、また全米五〇の美術館に五〇点ずつ寄贈するプロジェクトで、話題になった。

人目に触れていないものは値が付く

オークションでは〝フレッシュ〟なものに注目が集まり、値段も高めにつく傾向がある。フレッシュというのは新作という意味ではなく、「市場において」という意味で、人目に長く触れずに秘蔵されていたものが、ようやくお目見えした場合に、人はフレッシュさを感じる。

あまり頻繁に同じものが市場に出てくると、またかという気分になるし、長く手元に置いておく価値がない作品だから、また手放されたのだろうと思われても仕方ない。よく新聞の求人欄で、いつも同じ会社が同じ職種で人を求めていると、会社自体に問題があるのではないかと勘繰ってしまうのと事情が似ているかもしれない。

市場とは集合的無意識のつくり上げるもので、みんなの心理が同じ方向に傾けば、それに合った価格が形成されることになるのだが、そういう頻繁に売りに出されるものは、業界では〝目垢（めあか）がついた〟作品といって敬遠され、価格も伸びないところがある。

だから、有名なコレクターが何十年も手元に置いて愛玩した優品には、市場で高値がつくことが多い。まず、あの人が持っていたなら確かだろう、ということがある。目利きの保証付きである。また、あの人がずっと手放さなかったのは、それだけの魅力があったからだろう、と考える。そして、今それを手に入れないと、次はいつマーケットに出てくるか分からない、いつ買えるか分からない、という心理も働く。

昨年（二〇一九）、ドキュメント映画「アートのお値段」に出ていたユダヤ人の有名コレクター、ステファン・エドリスが亡くなった。彼はユダヤ人でありながら（ユダヤ人だから?）、マウリツィオ・カテランの「Him」という作品を所持していた。これは、背広姿のヒトラーが跪いて、目線を上に神に祈りを捧げる、あるいは赦しを乞うているかのような作品である。後でこのことには触れることになるが、アートの世界には名だたるコレクターがいて、そんな有名コレクターが亡くなった後、他のコレクターがどう動くかが注視されている。

私たちもオークションの前になると、世界中の個人コレクターのリストをひっくり返し、この作品なら彼、あるいは彼女が興味をもつだろうと見当をつけて、説明に出向く。

顧客にはギャラリストという人たちもいる。自分で画廊をもち、自分の眼力で見つけてきた芸術家の作品を売っていく、いわゆるディーラーである。村上隆を扱ったラリー・ガゴシアン、草間彌生を扱ったデヴィッド・ツヴィルナーは世界のトップ・ギャラリストの代表だろう。有力な画家がそこから育てば、彼らの眼識も信用できる、ということになるし、ギャラリーから誰かコレクターの手に渡ったものが、何かの事情でわれわれオークションハウスに持ち込まれ、競売にかけられるケースもある。

またギャラリストはオークションでの買い手としても重要で、われわれの知らないコレクターの代理で作品を落札したり、時には扱い作家の相場を保つ目的で購入したりもする。

私が長いお付き合いをさせていただいたジョー・プライスさんは、面識を得た時にはすでに高名な日本美術コレクターだった。私はまだ東京に籍があって、ある大規模な日本美術コレクションの競売のサポートにニューヨークに出向いた時に、彼が下見会にやってくる、と聞いて、緊張したことを覚えている。

その頃、バブルがはじけて麻布自動車・建物の経営が傾き、系列の麻布美術工芸館所蔵の収蔵品が銀行管理になった。私は東京クリスティーズで五年間日本絵画の専門家と西洋絵画の営業を兼ねていたのだが、その銀行からオークションにかけたい、と話があったのは三年目の時だった。

出品されたのはほぼすべて肉筆浮世絵の掛軸や屏風で、銀行管理ということで契約書など面倒なことも多かったが、作品の状態チェックや来歴、文献や図録などの所載歴調査も日本で全部やったので大変勉強になった。

そのニューヨークでの下見会に、プライスさんがやってきた。

私が会場に行くと、ギャラリー・アシスタントが私に、プライスさんが「ギャラリーの電気を消して絵を見たい」とおっしゃっている、という。絵が自然光でどう見えるか試したいということらしい。プライスさんの要望となれば、他の下見に来た人たちも異論はなかろう、ということで、消灯した中で、時折「今度はライトをつけて」「調光して徐々に明るくしてみて」とリクエストを受けながら、絵をご覧いただいた。程なく私は他の用があって場を外したのだが、しばらく経って戻ってみると、まだ同じところで同じ絵をじっと観ているプライスさんがいた。

それからたまにプライス夫妻にはご挨拶させていただいていたのだが、今回、そのコレクションの内、一九〇〇点を出光美術館に紹介できたことは、うれしい限りである。プライス夫妻から自分のコレクションを大事にしてくれるところを探してくれ、といわれた時は、スペシャリストの仕事冥利に尽きると感じた。

アートは投資対象にならない？

アートは投資対象として有効なのかどうか。経済的な変動を受けやすく、投資ではなく投機というニュアンスの方が強いが、五年、一〇年のスパンで儲かるかというと、疑問である。

私は、自分の気に入ったものを家に飾り、数十年経っておまけがついていたら儲けもの、と考えるくらいが心理的にいいのではないか、と思う。株式でいえば、子供が小学校に入る時に安定株を買って、大学卒業時にプレゼントで贈る、というのと同じ感覚でいいのではないだろうか。

ただ、古美術で評価の定まったものは、そういう外的な影響をあまり受けない強みがあるが、最良品がマーケットに出てくること自体が少ないという問題点もある。

アートの世界では、ともすると大きな額の取引に関心が向きがちだが、一点に何十億の値段が付いたからといって、アートの市場全体が活況を呈しているということにはならない——この点も曲者(くせもの)だ。

二〇一九年五月、ジェフ・クーンズの「ラビット」がクリスティーズ・ニューヨークで約九九億七〇九〇万円の値が付いた時、現代美術市場はバブル的という捉え方をしたマスコミもあったが、実際のところオークションでは、現代美術はここ数年緩やかな右肩下がりの感じで推移している。

クーンズのそれは三体ある内の一体が出品されたもので、風船を膨らませてラビットを象(かたど)り、それをステンレス製に仕立てた、とてもアイコニックな作品で、きっと来世紀の美術史の教科書にも残る作品だろうと思われる。

この価格は存命作家では史上最高額となるものだが、それ以前はデヴィッド・ホックニーが記録を保持していた（二〇一八年一一月にクリスティーズが売却した「芸術家の肖像画——プールと二人の人物」）。

雑誌『ＰＬＡＹＢＯＹ』のマスコットがウサギだが、それに代表されるように、ウサギ自体が繁栄の象徴で、八〇年代につくられたこの「ラビット」はそれをモニュメント化している、という見方もあり、全面ミラー加工されているので、見る人がそのたびに映り込んで、自身を投影させる仕組みにもまた意味がある、という意見もある。

〝意識高い系〟の画家でないと生き残れない

私は近代以降の芸術家は、ある意図をもって作品を仕上げないと、市場に出てこられない、と考えている。今的な言い方をすれば、〝意識高い系〟でないと、苛酷な競争を勝ち抜けないということである。

それ以前であれば、例えば狩野派という画派に入り、将軍御用達となって、伝統的な絵柄を巧みに描けば、絵師として食べていけたわけである。

西洋でも画家は国王や皇帝、貴族のお抱えになって、その要請を受けて作品、特に肖像画をつくっていた。表情は固まったままで、ポーズもほぼ同じ。また宗教画では同じテーマを繰り返し描いてきた。その壁を打破した風俗画といわれるものが登場するのは、日本も西洋も、確か一六世紀頃のことである。

岸田劉生の有名な重文作品「麗子像」（東京国立博物館蔵）を取り上げてみよう（「日曜美術館」で現代美術家会田誠さんが、岸田のことを〝意識高い系〟と呼んでいて、なるほどと思った）。よく知られているように、実際の麗子はまったく普通の外見の子供である。いくら岸田自身が北欧ルネッサンス絵画に触発されたとはいえ、自分の娘の顔をおかっぱの、不思議な笑みを浮かべた、まるでカニのような横長の顔に変えている。学校から帰るといつもモデルをさせられた、という麗子本人のことばが残っているが、眼前の少女とまったく違う人物がキャンバスに立ち現れている。自分の娘をよくあんな風に描けるものだ！

モデルである自分の子に日本の着物を着せて、岩彩（岩絵具）で日本画として描くのと、油絵で洋画として描くのではだいぶ違うだろう。油絵具で描かないと、西洋画を目指した自分のタッチが出なかったに違いないが、慣れない油絵と苦闘する中で、彼がたどり着いた表現がそれだった、と考えれば、対象さえ変化させてしまう、ということなのだ。

この「麗子」は「モナリザ」の微笑をヒントに描かれたということになっている。芸術の衝動として分からないでもないが、私は直感的に、「寒山拾得（かんざんじっとく）」を思い浮かべた。例えば、顔輝の作と伝えられる「寒山拾得」（重要文化財）は、幅広の笑顔の仙人を描いているし、狩野山雪のそれも、横長のぬめっと笑った顔をしていて、いずれも不気味な感じがある。

岸田は「麗子」を何枚も描いているが、神奈川県立近代美術館寄託の「野童女」は実際に伝顔輝の「寒山拾得」をモデルにしているらしいから、やはりと思うが、岸田は自分の娘を東西の名作に擬え、画題とマテリアルに関しても「東西融合の美」を求めていたのだろう。

先にいった〝意識高い系〟というのは、このへんのことを指していると思う。高尚で思想的な何かを企んでいなければ、ああいう絵には絶対にならないのではないか。岸田劉生の「坂」の絵がダリを思い出させるという人がいるが、確かにそういう感じを受ける……が、意識してそう描いたのか、結果そうなったのかでは意味が違う。おそらく「坂」に関しては、「スーパー・リアリズム」を追求しての後者だったのではないかと思う。

ジェフ・クーンズの「ラビット」も、われわれに「深読み」を誘ってくる。まるで作者の〝意図〟を当ててくれ、とでもいうように。

現代美術マーケットが元気な理由

映画「アートのお値段」に出てくるサザビーズのエキスパート、エイミー・カペラッツォは、元クリスティーズの社員で、現代美術部門の部長だった。とてもアクティヴかつアグレッシヴな人で、のんびりしたクリスティーズよりあちらの方が合っている感じもするが、映画でもその迫力は十二分に出ていた。

彼女は映画の中でオークション会社で働く醍醐味は「追跡と交渉」といっている。現代美術を扱っているとそういう気持ちになるのかもしれないが、私自身は古美術を追っているので、インディ・ジョーンズに近いと思っている。歴史の中を探索して、宝物に出合おうとしているからだ。ただし、どでかい石の球に追い立てられたり、崩れ落ちるつり橋を渡ったり、うようよいる蛇の中に落ちたりする危険はないが（違う意味での「危険」はあるかもしれない）。

もう一人映画に出てきた、「過去に制作された名品が美術館に入り、マーケットに出回らなくなってきたが、現代美術なら今もプロダクションできる」的なことを言っていたエド・ドルマンも、元クリスティーズ、しかもCEOであった。

彼は元々家具を専門にし、今はなきロンドン第二会場だった、クリスティーズ・サウスケンジントンにいてオークショニアもやっていたが、立身出世してCEOとなった人物である。現代美術にはマネジメントとして関わり、そのカテゴリーを活性化、いや新しいマーケットを誕生させた人物といっていい。彼のおかげでクリスティーズは現代美術に強いオークションハウスになったといっても決して過言ではない。

その後、ドルマンはカタールの美術館がセザンヌの「カード遊びをする男」などを買い始めた時のアドバイザーに就任し、今はクリスティーズ、サザビーズに次ぐ三位のフィリップスでCEOを務めている。海外では、競合オークションハウスに移籍することは結構あるのだ。

ふさわしい買い手とつなぐプライベート・セール

オークションでは一度に三〇〇点近くのアイテムを競りにかけることになる。分厚いカタログづくりなど、いろいろな準備に何カ月もかかるので、正直いって、一点一点にじっくりと向き合う時間がない時も多い。

今はプライベート・セールが私の主たる仕事となったので、美術品との接し方がだいぶ違ってきた。例えばコレクターが所蔵する高額な古美術品を「目垢のつく」オークションに出したくない、自分がつくり上げたコレクションをバラさずに、これぞと思う人や美術館にのみ譲りたい、という時に、その要望にふさわしい買い手を探す仕事である（もちろん逆のケースもある）。先に触れたプライス・コレクションを出光美術館につなげた一件や、ドラッカーさんのコレクションをある企業につなげ、それが千葉市美術館に寄託された一件も、最近私が関わったプライベート・セールだ。

ニューヨーク時代、半年に一回のオークションの出品作を探すため、トレジャー・ハンターのようなことを続けていたのだが、一五年も続けるとさすがに疲れ、流れ作業的になってしまい、自分が美術品を扱っているということすら軽んじられてくる。そんな時、ある大コレクターから「私のコレクションは、オークションでは売りたくないので、一点一点買い手を探して売ってくれませんか？」という依頼があり、やってみて初めて私はプライベート・セールのおもしろさに気づいたのである。そのコレクションは在外の日本美術コレクションではナンバーワン・クオリティともいえる素晴らしいものばかりで、今でもその扱いを続けさせていただいている。

オークションはある意味公平で、誰でも最高額を付ければその作品を購入できるが、プライベート・セールでは金額を売り主と私が決め、誰に売るかも売り主や私が選ぶことができる。画廊や古美術商は普段そういうことをやっているのだが、プライベート・セールではオークションのように大量に扱うことはそうはないので、一点一点が高価なもの、もしくは重要コレクションを対象にすることになる。

また、プライベート・セールをやるようになって、美術館とのお付き合いも増えた。というのは、美術館が購入する場合に、オークションを通すと、稟議書作成や理事会の承認などの手続きが多く、オークションまでの時間が足りないことが多い。それにオークションでの購入の場合、競りにかかると最終的にいくらで買えるかが分からないので、予算で動く、特に公立の美術館には対応が難しい（この点は次節でも触れる）。

クリスティーズが積極的にプライベート・セールを始めたのは、実はここ数年のことだ。私もそれまでほとんどやってこなかった分野なので、勉強になることが多い。

3　世界レベルの美術館を日本につくる、という発想

「自分たち」の美術館をつくるには

最近、美術館とのお付き合いが多くなってきたので、その内実について少々触れていこうと思う。日本にはいま国立美術館が五つある。東京にあるのが近代美術館、西洋美術館、新美術館の三つ、京都にあるのが近代美術館、大阪にあるのが国際美術館である。国立の博物館は東京、京都、奈良、福岡にある。それともちろん公立、私立の美術館、博物館も多数あるのはご存知のとおり。

アメリカは国立が三つ。ナショナル・ギャラリーとアフリカ美術館、スミソニアン博物館（連邦政府の財源と寄付などで成り立つ。一九の博物館などから成る）である。

イギリスは大英博物館、ナショナル・ギャラリー、スコットランド国立博物館、ヴィクトリア＆アルバート博物館、テート・ギャラリーなどの一七館。

フランスはパリ市内だけでルーブル、オランジュリー、オルセー、ギメ（東洋美術館）、ピカソ、ドラクロワ、モロー、グラン・パレなど一三館、全国で三四館を数える。

こう挙げてきたのは、アメリカがあの広大な国でありながら国立が少ない、ということをいいたいがためである。元々政治に頼る前に、自分たちで何かをしようという国柄であることもあって、文化は「民間と地方」主体で行われるべきだ、と考えているのだろう。日本では国民皆が参加する皆保険が当たり前になっているが、アメリカではいくら医療費が高騰しても、そういう論議が広く国民に受け入れられるというわけではない。

ではどういう仕組みで国立・州立・郡立・市立でないアメリカの美術館が成り立っているかというと、基本的には市民の寄付（ドネーション）とファンド運用、美術館収入によってなされている。節税対策だとしても、高額な寄付をするリッチな人々の貢献度が高いことはもちろんで、例えばメトロポリタン美術館は、一九世紀後半に「パリのアメリカ人」たちが母国にヨーロッパのような大規模美術館がないのを憂えてつくった経緯があり、そもそも成立がそういう事情だから、市民が自分たちでつくったという感覚になるのも当然である。

日本は明治になって西洋をまねて急いで博物館をつくり出した事情もあって、どうしても官製の匂いが強く、私立の美術館も数は多いが、どうしても個人美術館になってしまい、複数のオーナーによるファンド運用で運営する美術館もないので、残念ながらスケールはメトロポリタンなどには遠く及ばない。

日本美術に限っていえば、美術館の登場によってある意味、美術が身近なものから遠く隔たってしまったともいえる。それまでは家の床の間や違い棚に何かしら飾ったりしていたものが、住居の洋風化が進むほどに、そういうスペースがなくなり、元々壁に掛けて絵を楽しむ習慣もなかったために、どんどん家の中からアートがなくなっていった。

西洋は日本の〝用の美〟とは違って、純粋鑑賞の世界である。美術品は壁に掛けて、日々眺める接し方で、それは家屋が壁で強固に仕切られる文化だということと関連しているのだろう。

私は昨今の琳派を筆頭とする古典絵画の人気、また日本の現代美術家がこぞって古典をモティーフとした作品を制作する背景には、もしかしたらすでに無くなったものへの日本人のノスタルジーが背景にあるのではないか、と考えている。

真の意味での「市民美術館」といえば、金沢21世紀美術館がその展示法の斬新さや、市内のレストランとコラボするといった新しい試みを始めて、全国の注目を浴びたが、そこには一般市民に現代美術を分かりやすく身近にした功績と、大人のみならず特に子供に「美術館が自分たちのものになった」という喜びをもたらした効果があったのではないかと思う。

またNHKの「新日本風土記」で、岡山県倉敷市の大原美術館を扱っていたことがある。同美術館は昭和五年（一九三〇）の開設で、クラボウ、クラレを創業した倉敷生まれの事業家、大原孫三郎が創立した。大原は自分が目をかけていた画家の児島虎次郎（とらじろう）の目利きによって、西洋美術の優品を購入し、西洋美術と近代美術を展示する日本初の美術館となった。

同美術館にはエル・グレコの「受胎告知」やモネの「睡蓮」、セザンヌの「水浴」やゴーギャンの「かぐわしき大地」、関根正二「信仰の悲しみ」など、オールドマスターから印象派、東西近代絵画、工芸、日本現代美術、オリエント・イスラム古美術までが揃う。

その番組では、老婆が毎朝、散歩コースの目的地になっている美術館にやってくる。階段を上がる余力がないので、玄関脇でいつも館員と挨拶を交わして帰るだけなのだが、彼女は自分の好きな絵が美術館のどこにあるか知っている、と語っていた……何とも素晴らしい話ではないか！

こういう身近な美術館の愛し方が、もっとできたらいいなと思う。

所蔵品の入れ替え

日本の公的な美術館に「所蔵品の断捨離をしませんか」と提案すると、首を捻るところが多い。それは税金で買われ、保管しているので勝手なことができない、手続きが煩雑である、とかの事情があるからだろう。

それと、所蔵作品が寄贈されているケースも多く、そうすると権利関係の確認で手間がかかる、了承が得られない、などの問題も控えているらしい。

しかし、公的美術館の所蔵品が本来われわれの税金で買われ、保管されているのであれば、それらはある意味、国民・県民・市民の共有財産であるはずだし、それが有効に使われているかどうかは、われわれ納税者がチェックすべきことである。

もしそう重要でない同じ絵柄の浮世絵が二枚あるなら、一枚は売りに出す、その美術館でそれほど観覧の希望もない作品があれば、その作品を必要とする別の収蔵先を見つけ、死蔵品（美術館には決して展示をしない作品、重複する作品が必ずある）を生き返らせる算段をすべきである。そしてそれで得た資金で、新たに何か魅力的なものを購入する、既存品の修復費に充てる、あるいは展覧・保管設備を整えるなど、税金を無駄にしない方策を考えてはいかがですか、と提案している。

さて前に述べたように、公的な美術館は予算や稟議の問題もあって、オークションに参加することが難しい。こちらの見積もり通りに落札額が決定しないからである。

ところがアメリカの美術館は、積極的にオークションに参加してくる。それは先に記したように美術館の作品購入プロセスにフレキシビリティがあるからで、その運営は限られた人数の理事（トラスティ）によって行われているケースが多い。

その美術品が館蔵品の充実に寄与する、また時には来館者数のアップに劇的に貢献するといった予測ができるとなれば、理事会で購入意志の合意を取り、後はオークションではここまでは競ろうという額を決め、銀行からいくら借りる、誰がいくら出して補充するかなども話し合われて、オークションに参加する態勢ができる。

そのあたりのことは、今ではやろうと思えばZOOM会議ですんでしまうようなことであるが、私は日本でもこういう仕組みでできないか、と思っている。確かに今でも一部の私立美術館はオークションに参加しているが、起業家でアートに関心のある方が数人集まってお金を出し合い、ファンドをつくって財団を形成し、そこに一般からの寄付も募って、世界に誇れるメトロポリタン級の美術館を我が国につくるのである！

日本は公的でなければ、企業家の設立による私立個人美術館といったように、「その間」の存在のものがない。芸術を自分の近くに招き寄せるためにも、この案は一考に値すると思うのだが、どうだろう。

美術館を軸にした観光誘致

フランスとアラブ首長国連邦が二〇一七年に共同でつくったのがルーブル・アブダビで、同館は「ルーブル」の名前を三〇年間使用でき（使用料は約五三〇億円）、その間は作品収集・美術館運営に関しても、ルーブル、ギメ、オルセー、ポンピドゥー・センターなどのフランス国立美術館機構から作品が貸し出され、各分野の専門家がキュレーションと作品購入のアドバイザーに就いている（貸借料と運営指導で約七五〇億円といわれる）。フランスの世界的建築家、ジャン・ヌーヴェルによる建築も素晴らしいし、その展示方法も世界の芸術を地区・文明別ではなく、時代分けし、いわば美術史を横切りして同時代のアートを見せる、という斬新な手法だ。

ルーブルがオールドマスターと古代美術、ギメは東洋美術、オルセーは印象派・近代絵画、ポンピドゥーは現代美術の各専門家がサポートしているので、アブダビとすれば、世界的なブランドとその卓越した知識、選択眼を利用できるメリットはかなり大きい。

また中国に目を向ければ、ポンピドゥー・センターが上海にできた。これはフランスと中国との合同事業で、五年間(二〇二四年まで)の期間限定プロジェクトである。「ウエストバンド・ミュージアム(西岸美術館)・プロジェクト」の一環で、イギリスの建築家デヴィッド・チッパーフィールドがデザインした美術館をポンピドゥーが使用する。

私は、このような世界の優品アートを集積した、世界の誰もがそこに行きたいと溜め息を洩らすような美術館を日本にもつくるべきだと考えている。国内のどこかはあまり重要ではない――なぜならニューヨークを本拠に、ヴェニスやアブダビにも別館をもつ現代美術のグッゲンハイム美術館が、スペイン・バスク州との共同事業としてビルバオにつくったビルバオ・グッゲンハイムのように、三五万人規模の都市につくられたにもかかわらず、年間一〇〇万人を超える人がアートを観るために、そこを目指してやってくる、という例があるからだ。

最近日本でも、直島(なおしま)やMIHO MUSEUM、江之浦測候所(えのうらそっこうじょ)など、「そこ」を目指して外国人が来る美術施設もあるが、まだまだやる余地はあると思う。

ちなみにビルバオ・グッゲンハイムの建築コンペには磯崎新(あらた)らが参加したが、結果、フランク・ゲーリーが勝利し担当した。ゲーリーの建築は世界的にも評価が高く、外観はガラス、チタニウム、石灰岩で覆われている。この建築が話題となって人を呼んでいることも確かで（バスク人には不評という話もあるが）、美術館の集客には建築が実はかなり重要な要素となることから、有名建築家に依頼する場合が多い。

ビルバオ・グッゲンハイムの来訪者が年間一〇〇万人ということは、東京の森美術館よりやや少ないぐらいの集客数である（森美の来館者数は展望台と一緒なので、正確に知るのは難しいが）。背後にもつ人口や競合施設の問題もあって、単純な比較にはあまり意味がないかもしれないが、例えば日本で人口三五万人ぐらいの都市といえば、大阪府高槻（たかつき）市、福島県いわき市、埼玉県川越（かわごえ）市あたりだが、その街の美術館に東京の森美術館と同じくらいの集客数があると考えれば、衝撃的でもある。

また、ビルバオの人口の三分の一が年に一回美術館に足を運んだとすると、残り八〇万強の人が他からやってきたことになる。

あまり地の利は関係ないということが、このことからも分かるだろう。絵を観て、建築を楽しんだ後、何か美味しいものを食べて、ついでに美しい自然を楽しんで帰れる環境があれば、北海道でも沖縄でもやっていける。コロナウイルス騒ぎが起きる前、香港がいずれ中国に飲み込まれ、自由がなくなるのではないか、という懸念からデモが起きていたが、今となっては「香港国家安全維持法」も施行され、かつての「香港らしさ」も失われつつある。私も昨年の一二月に香港セールに行ったのだが、空港もどこも人がまばらで、信じられないくらいスムーズに移動ができた。下見会もやはり閑散としていたが、オークション当日の会場は満員の盛況。ネット、電話の参加も盛んだった。

結果、古器物は低調だったが、古典絵画や宝石、アジア高額新記録をつくった時計、現代美術は好成績。器物はラインナップがあまりよくなく、値段も高めで、その影響で成績が上がらなかったと思われる。現代美術では、サザビーズで、日本のいかなるアート分野でも史上最高価格の奈良美智の少女像に、約二七億円の値が付いたのが、記憶に新しい。

その香港ではアートバーゼルという、世界最大のアートフェアも開催されている。香港の中国への最終返還という将来的不安を考えれば、フェアを日本で開催すれば、治安の問題等を含めても安心なので、アートバーゼルの日本開催も可能ではないかと思う。香港の最大の強みはフリーポートということだが、正直いって「中華料理」以外で楽しむものがあまりなく、日本の方がよほどレジャーや食、自然、文化において魅力的だと思うのは身(み)贔屓(びいき)だろうか?

これもアートとビジネスの関係性と将来性を考えるうえで、いま日本にとって必要なことの一つではないかという気がしている。

第4章　アートとの向き合い方、お教えします

1　アートとビジネスセンスは関連するか

台所のゴーギャン

長い間外国で日本美術を扱っていると、外国人は日本の屛風や扇、焼物を室内に飾って、思いもかけぬ楽しみ方をしているな、と感心することがある。先に紹介した現代美術画商R氏は、ソファの上の壁に屛風を飾るのだといっていた。

アメリカの映画を見ていると、若者は自分の部屋の壁に好きなアイドルやミュージシャンの写真、コンサートのポスターを飾っていることが多い。

また、アメリカでは初めて我が家に訪れる人を案内して、家中を紹介したりするが、これをハウスツアーという。そうなると、壁に絵でも掛けておこうかなとなるのも、自然かもしれない。

ヨーロッパでも蚤の市はどの街でも頻繁に行われていて、たくさんの人が出かけて、好みのものを物色している。あれは家に持ち帰って、ちょっとしたインテリアとして飾っているのだと思う。

私はアートの楽しみ方として、いつもほのぼのとした気持ちで思い出すのが、イタリアの工場従業員の話である。日本でも電車での遺失物はある期間、持ち主が現れなければ、売却処分が可能になっているが、イタリアでも事情は同じらしい。

四〇年前、その鉄道遺失物の競売会で父親が気に入って手に入れた絵は、ずっと家の台所の壁に飾られていて、息子はその絵を見て育った。時は経ちある日、建築科の学生となったアート好きの息子が古い画集を見ていたら、どうも家にずっと掛けられていた絵と似ている作品が掲載されている。気になって仕方がないので、専門家に見てもらうことにしたら、それがゴーギャンの「テーブルの上の果物、または静物と小さな犬」の真作と分かり、一九七〇年にロンドンの住宅からボナールの絵とともに盗まれたものと判明した（二〇一四年のこと）。犯人か、もしくは誰かの手に渡って、それが電車の中に忘れられたということらしい。

持っていたのは、イタリア・フィアットの工場従業員。現在の価格で三〇億円は下らないといわれる絵を、やはり今の金額にすると三三〇〇円で購入し、四〇年近く自宅の台所に飾っていた。サイズは四六・五センチ×五三センチなので、小さい台所では目立ったことだろう。

この絵はその後持ち主に戻ったと思われるが（海外では、盗難美術品は必ず持ち主に返還されねばならない）、肝心なのはそこではなく、工場の親父さんが自分で気に入って買ったその絵を、長い間台所に掛けていた、ということである。

本書の始めの方で、絵を見るのを「自分事」にしましょう、という話をした。それは鑑賞する姿勢のことをいったつもりだが、このイタリアの男性はそれを地でいっている。それも所有して家に飾って日々親しんでいたのだから、自分事のレベルがものすごく高い。驚いて警察に届けた息子も、ずっと見慣れてきた絵なのだから、これも美意識のなせる業、というべきなのだろうか。この話は、なんだかそういうことばを使うのが浅薄のような気がしてくるくらい、よい話だと思う。

ジーンズ姿の大統領

あるいは、こんな話はどうだろう。ある有名骨董店に背の高い男性がポロシャツ、ジーンズで入ってきた。無精ひげの外国人で、熱心に棚の焼物を手に取り見ている。影青（いんちん）の杯や縄文土器をいじり回していたが、とうとう大名品（だいめいひん）の皿に手が伸びた。

若い店員は英語ができず、見て見ぬふりをしていたが、外人が焼物を勝手に手に取るのがもう心配で堪（たま）らない、と番頭を呼びに行った。番頭は多少は英語の心得があったので、その外人に声をかけた。“Excuse me…”で振り向いた顔は、何とフランスのジャック・シラク大統領（当時）だったという。

“Good afternoon, Mr. President, please let us know if you need anything.”

彼は時折フランスのクリスティーズを通して東洋美術を買っていたが、来日のたびに骨董店を訪ねていたこと、そして来日の理由の一つに、親しい日本人女性がいたことも知られていた。

日本の文化をこよなく愛し、趣味のよいコレクターだった元大統領は先頃、八六歳で他界した。学生時代に東洋美術を集めるギメ美術館に通い詰めたという。二〇〇六年、ケ・ブランリ美術館創設の立役者となったが、大統領の副葬に合わせて入館料が無料となった。パリのサンスュルピス教会での告別式では、ダニエル・バレンボイムがシューベルト「即興曲」第二番変イ長調を演奏した。フランス人が芸術を愛することは、ごく自然なこと……さすがである。

ここにも普段着の姿で美に触れようとする人がいる。

空き時間にいい話が舞い込む

ここに二つの例を挙げたのは、アートの世界というと、売り買いだと生臭かったり、美術史だと逆に妙に高尚すぎたりして、生活者の落ち着いた視点というものが欠けるように思うからである。

私自身、クリスティーズの日本法人の社長となって、スペシャリストの時の美術品に向き合う日々とは、まったく異なる日常になってしまった。今の立場だと、金融機関との付き合いもあれば、社内人事のこともあるし、ジャパン・オフィスで扱う複数の分野のあれもこれもと考えることが増えて、愛すべき骨董屋さんでの茶飲み話の時間がほとんどなくなってしまった。実は、大事な情報というのは、経験上そういうちょっとした空き時間の、何気ない会話の中でもたらされることが多いので困った話だ。

四六時中、緊張した状態の人間には、本音は話しにくいものである。特に私はオークションではなく、プライベート・セールを主にしているのだから、これではいけない……という危機感がある。マネジメントとスペシャリストの両立を目指さねばならない。

IT長者と日本美術

少しアートとビジネスの関連について、私の考えを展開していこう。

最近はアート思考といったことばもあるように、アートとビジネスを結びつけることが多くなってきたと感じる。MBAを取っても仕事の役に立たない、と聞くと、やっと私の時代がやってきたかと胸を撫で下ろすのだが……。

日本のＩＴ関連の起業家には、オフィスに購入した絵を飾っているところもある。昔から経営者（創業家が多い）が芸術をコレクションすることは脈々と行われてきたが、そういう人たちは重役室に掲げるか、美術館をつくって飾るか、あるいは自宅で楽しむかして、一般の社員の目を肥やす、ということは、あまりやってこなかった感がある。そういう意味では、最近の起業家には、美術への接し方に変化が起きている気がする。

しかし、アートとビジネスをすぐに結びつけることには、少々違和感がある。先にビジネスエリートがフランシス・ベーコンを熱く支持していると書いたが、世界中の誰でも知っているアメリカのＩＴ企業の創業者が日本の古美術に現代性を感じて、購入しているのを見ても、ビジネスとは違うところでアートに接していると感じる。

却ってビジネスから距離を取り、かけ離れているところでアート自体を楽しむからこそ、アートは刺激になったり、心が憩うものになったりしているのではないだろうか？

ビジネスにはデータと論理による説得を

アート的な感覚があるとビジネスもうまくいく、という説もある。しかしアートに関わってビジネスをやってきた私自身が、どうしても必要と思ったのはデータと論理による説得である。そこが弱いと、例えば社内で予算（バジェット）を取るにも不利になる。

日本美術の部門を閉鎖する話があった時も、私がいったのは、「きっと業績を改善（インプルーブ）してみせます」ということだった。

先に藤田美術館のコレクションを香港よりニューヨークのオークションにかけた方がいいと考えた〝理由〟についていくつか述べたが、やはり相手を説得するには、理屈や理論がないとだめなのである。何となく香港よりはニューヨーク……などといっても、とても相手を説得できない。

よくソニーやアップルを例に挙げて、デザイン的感覚の必要性がいわれることがあるが、その前にまず製品の圧倒的なオリジナリティがなければだめだろうし、それを支える革新的なテクノロジーがなければ、単なる夢想に終わってしまう――このような基本的なことは、幸いにも広告会社時代の経験がかなり役立っている。

最後（最初？）にはリアルな価格設定の問題もある。製品のデザインと価格設定とは密接に関連している。どういう嗜好の人を狙っているかで、デザインは決まってくる。便利な機能さえ付いていればいい、と考える層なのか、あるいはそれを持つことで格好いいと実感し、人にもそれを見せたいと考える層なのか。少なくとも実用品のデザインはそういう具体的な条件と結びついたものであって、決して浮ついたものではないはずだ。

私は日本では押しが強い人と思われているかもしれないが、ニューヨークではその弱さを感じることが多々あった。シニア・ディレクターのミーティングに参加し、一時間の会議の間一言も発せられない自分をよく呪ったものだ。これは日本人全体にいえるような気がするが、それを克服するには、論理と議論に強くなるしかない。相手は小さい頃から学校で議論の仕方や論理的な文章の書き方を習ってきた人間ばかりである。アートの効用をいうなら、安易にビジネスと結びつけないで、少なくともこれらのことを踏まえてからいうべきではないだろうかと思う。

一人チェスとラグビーに見る交渉術

もう一つ説得に関して加えるとすれば、相手の立場に立てるかどうかが大きい。私は一人でチェスをする人を見て、ああそうか、と気づくことがあった。彼らは相手の立場に立って先を読んでいるのである。それが習慣として身に付いているから、落としどころも分かっているのだろう。

相手はどこが不満で、あるいは不安で、こちらの話に乗ってこないのだろうと考える。相手はこの問題に関してはこう考えてくるだろうから、こっちは別の手を考えよう。そういう風に相手の心を読んで、必死に対策を練って臨めば、それほどやり込められることはない。時に勝つこともあるし、イーブンでお互いの案を併せて一本という痛み分けもあるかもしれない。

脱線ついでにいえば、異常に盛り上がったラグビーのワールドカップでの日本人の応援に関して、まったくの非論理性を感じた。ラグビーは激しい戦いのゲームである。フィールドではエルボーを入れたり、蹴ったり、スパイクで顔を踏んづけたり、大概のことはやっている。そういう残酷なことをやり合うからこそ、ゲームが終われば、後腐れなしにしないと、さらに血の雨が降ることになる。ノーサイドとは、そういう意味である。

それなのに試合前から敵側にエールを送ったり、敵の国歌を歌ったりする。そんな調子で勝てるわけがない。マスコミも一緒になって、スポーツによる美しい融和を言い立てていた。真のスポーツマンシップとは、「相手を叩き潰す、ぶっ殺す」ぐらいの気迫で戦い、ゲーム後はお互いの闘志にリスペクトを払うことだ。試合前からの仲良し・予定調和的な戦いなどおもしろくもないし、勝った時の喜びもイマイチなのではないだろうか。

私の両親が明治大学卒業生だったこともあって、華麗に相手をかわし走りまくる早稲田と比べ、明治の「前へ」ひた押しの武骨なラグビーがたまらなく好きだった、長年のラグビーファンである私は、今回のW杯で敵国の国歌を試合前に歌う日本国民の姿が、とても残念だった。そもそも試合前の国歌斉唱は、その国のチームメンバーと観客が闘いの士気を高めるためのもののはずで、その国の人間だけが歌う権利があり、余所者が歌うのは却って失礼だと思うのは、私だけだろうか……。

話を元に戻すと、欧米人はディスカッションをし合うことを何とも思っていない。別に人格を否定しているのではなく、論理を闘わせているだけである。だから、それが終われば、何事もなかったような顔で笑い合うことができるのである（これぞスポーツマンシップ）。そこらへんがわれわれの弱いところで、特に今の日本人は「批判」「批評」をすることによって人に嫌われたり、逆襲されて喧嘩や人格否定につながることを極度に恐れるから、中途半端に妥協してしまうのかもしれない。

そんな時、私は自戒を込めてヴォルテールのことばを思い出す。

「あなたの主張には賛成できない、だが、あなたがそれを主張する権利は死んでも守る」

カトリックとプロテスタントの争いが熾烈に繰り広げられていた時代の人のことばである。どこかラグビーにも、そしてビジネスにも通じるように思うのだ。

2　アートでディスカッションする

能を知らないで文化庁の幹部？

私は外国のいいところ、悪いところを見てきた人間の一人として、日本のアート界のためになることなら、躊躇(ちゅうちょ)せずに何でも発言しようと決めた。先に述べた日本の公立美術館の所蔵品の売却は、その一例である。そんな視点からアートに関わって気づいたことをいくつか、また皆さんもご存知の〝社会的事件〟についても触れていこうと思う。

ある日、私が懇意にしている能楽師とお会いしたら、その方が「聞いてくださいよ！」と憤慨していた。その方がいうには、能公演も含まれていたある文化庁主催イヴェントのレセプションに、出演者であった彼も出席したそうだ。開宴し、そして乾杯の段になって壇上に上がったのは文化庁の高官で、彼の乾杯スピーチが始まったのだが、こともあろうにその高官は、「恥ずかしながら私は人生で一度も能を観たことがなく、今日初めて拝見して、非常に感動しました」と述べたとのこと。能楽師の方は呆れるよりは落胆してしまい、「こういう人が上にいるようでは、日本の文化政策も……」と怒り、嘆いていた。さもありなんである。

厳しい批評がない日本

日本に戻ってきて一番びっくりしたのは、「批評」のなさである。アメリカでは例えば政治のみならず、アートに関しても、ニューヨークタイムズの評がものすごく影響力をもっている。芝居でいえば、その評が興行成績や集客に直接的に影響するといわれるほどで、ブロードウェイなどの芝居関連の評は、オープン初日の夜一一時頃にネットにアップされるので、関係者は戦々恐々とする。映画や食に関する評も同様で、ある大作映画がさんざんこき下ろされ、映画会社自体の倒産にまで至ったという話もあるし、レストラン評も手厳しく、それによってシェフやオーナーの人生模様が劇的に変わっていく可能性を孕んでいる。

ニューヨークタイムズのアート関連レビューは、現在、ロバータ・スミスとホーランド・コッター（二〇〇九年にピューリッツァー賞を取っている）の二人のチーフ・クリティックにリードされている。ここでいう「アート」評は、美術だけでなく、ポップ＆クラシックミュージック、ビジュアルデザイン、ダンス、映画、音楽、テレビ、舞台などの分野を含んだ幅広いもので、専門性も高いが、どちらかというとリベラル感も強い。

美術でいえば、アーティストやキュレーターは、自分の作品、またキュレートした展覧会のオープニング翌日のレビューがすごく怖い。生きるか死ぬか、という感じがひしひしと伝わってくるほどだが、私の知っている限り、彼らは必ずレビューを読む。時には私もこの評はいかがなものか？　と思うものもあるが、それは厳しいレビューが出たからこそ異論、反論も出るわけで、そこで初めてディスカッションの場ができるのである。

そういう激しい批評バトルの世界から日本に来ると、すべてが予定調和的で、苛立つ自分の方がおかしいのではないか、と思ったりする。どこもかしこも「人の悪口はよそう」的な凪（なぎ）の状態か、もしくは過激な単なる個人攻撃に終始している状態かである。

かつては文学の世界には小林秀雄のような峻烈な人がいて、彼の前に出るとちょっとした書き手でも身が縮まる思いだったという。そういう世間から一目置かれる、ご意見番的な人がいなくなった、ということなのだろうか……私が子供の時に悪さすると叱る、知らない町の怖いおじさんもいなくなった気がするが、それと同じ現象なのかもしれない。

歌舞伎評では、関係者からこんな話を聞いたことがある。某新聞の歌舞伎担当記者が先々代の菊五郎のある舞台を観て、「今月の菊五郎はひどい」と記事にした。菊五郎はその評を読むと、怒り狂って、その記者の会社に乗り込んで行った。「書いたやつ、出て来い！」「俺だ！」「俺の芝居のどこが悪いかいってみろ！」というので、記者は先代と比べてここが悪い、腰も入っていない、などとぴしっと的を射た意見を返した。すると菊五郎は、「お前、なかなかちゃんと見てんじゃねえか」と意気投合し、その後、二人で飲みに行ったという。

今の日本は表で褒めて、裏で汚く批判するような傾向が強いように思う。きつく厳しいレビューはアーティストにとって酷かも知れないが、ちゃんとした批評がないと、まともなアーティストが育たないことも確かなのである。日本の場合、アーティスト、ギャラリー、批評家、ひいては美術館、美術史家、コレクター、そして行政の協力体制が弱い感じがする。

海外美術館の学芸員は大学教授クラス

東京ステーションギャラリーで「メスキータ展」が開かれた（二〇一九年六〜八月）。作家のフルネームはサミュエル・イェスルン・デ・メスキータといい、私の全然知らない版画家で、オランダの人らしい。「エッシャーが命懸けで守った男」とポスターに書かれていたが、エッシャーは小さい頃から知ってはいても、メスキータはまったくの初体験であった。

実際に展覧会で観てみると、メスキータの作品はグラフィックで見やすく、何しろ個性的で素晴らしいの一語に尽きる。入口脇の大きなフクロウのポスターと一緒に写真を撮り、インスタに載せると、きっと見映えがしただろう。

私は木版画、特にヘッケルやキルヒナーらの線の力強い、ドイツ表現主義の作品が好きなのだが、このメスキータもそんな要素をもっていて、ちょっとヴァロットンに似た感じも受けた。

展覧会にはお客さんもだいぶ入ったようで、これはキュレーターの企画の勝利といっていい。メスキータには、作品のクオリティが高くて、おもしろく、世に広く知られていない、と人を呼ぶ展覧会のいくつかの条件が揃っている。そもそも今までまったく取り上げられていないアーティストの展覧会を企画すること自体、大変勇気の要ることである。

想像するに、展覧会の予算的には、マイナーな作家の版画は有名な画家の油絵を借りてくるよりは、保険料や輸送費等の面で安上がりですむという利点があるし、通常、版画にはエディションがあるので、必要なイメージの作品を探しやすいということもあるだろう(なので浮世絵版画の展覧会は多いのだ)。

こういう成功した展覧会を見ると、ちょっと冒険した企画でも通りやすくなり、キュレーターも企画の幅が広がり、仕事がやりやすくなったのではないか、と思う方もいるかもしれないが、やはりこれは特例だと思った方がいいような気がする。

というのは、今の日本のキュレーターは「雑用係」になってしまっていて、自分の学術テーマや収蔵品の研究の時間が全然ない、という状況にあるからだ。

例えばアメリカでは、メトロポリタン美術館の主任学芸員はハーバード大の美術史教授クラスの名誉と待遇で、最高専門職として確立されている。それに対して日本では相変わらず大学の方が上で、美術館が下、というヒエラルキーが厳然とあるように思える（日本で美術館学芸員から大学教授になった人はいても、逆はほとんどいないと思う）。

研究の現場でも、今は研究対象自体が細分化され過ぎていて、重箱の隅をつつくような論文ばかりが生産されていると聞く。美術史でも同じで、誰かがつついた重箱の隅をさらにつついて、ひっくり返してさらにつついて出た、小さな米粒のようなものを研究結果としている——それでは、大局を見ることができないのではないか。

美術とはそもそも、人間の一般生活の中に根を生やしたものなのだから、その地盤のことを忘れて、あまり細かい点ばかりつついていると、世の中から遊離することになるし、おもしろみもない。

私見だが、これからの美術史研究には、新しい見方や違うアプローチが必要になってくると思う。荒唐無稽かもしれないが、例えば歌麿とフェルメールの女性像を比べてみるとか、あるいは江戸から平成までの美人画をアイドル画として捉え、版画、肉筆、近代日本画、写真、デジタルと技術的にも追った論文にするとか、いくらでも方法があるような気がする。現在の美術史家は、ご専門は？　と聞くと、一八世紀江戸絵画→円山四条派→長沢芦雪→彼の三〇代の作品→南紀滞在中の作品→無量寺の襖絵です、という感じが多くて、このままで行くと、芦雪南紀滞在中の、無量寺での仕事中の、ある一日の彼の画業、ということにもなりかねない。

また例えば、ある分野で権威の大学教授が亡くなるまで、その教授が本物と鑑定した作品に疑義があっても、他の学者は実は偽物だとは言い出せなかったが、その学者の死後にいくつか過ちが証明された、という話もかつて耳にした。

古いカサブタがまだあちこちに覆いかぶさっている。少しずつ剝がして検証していく作業も必要ではないだろうか……国宝・重文の指定品も、である。

バルテュス作品は不適切か？

バルテュスはポーランド貴族の末裔である。彼はちょっとロリータっぽい少女像を描く、私も大好きな異能の画家で、ピカソから絶賛される程の画力をもつ。ちなみに彼の奥さんは日本人（節子夫人）である。

さて、メトロポリタン美術館で彼の「夢見るテレーズ」という作品が二〇一七年に展示された時、この絵を撤去せよ、と同館に抗議が寄せられた。

#MeToo運動が広がる中で、メトロポリタン美術館のような世界中から来館者がある美術館で、少女が性的な様子を見せる絵を飾るのは不適切ではないか、という趣旨の抗議であったが、それに対する同館の返事はまことに大人のもので、私は激しく同意した。

「芸術に関して知識に基づいた議論を行い、独創的な表現に対して敬意を払うことが、文化の発展をうながすことにつながります。今回のような出来事は、対話のきっかけをもたらしてくれます」

私は現代アートは冷静、客観的に観るべきものだ、と考えている。そのためには「アートに関して知識に基づいた議論」が必要だし、「独創的な表現に対する敬意」も必要である。この文章で光るのが、抗議行動をも含めて「対話のきっかけになる」とした箇所だ。抗議して謝らせて撤去させて終わり、というのではなく、アートから対話が始まることが大事だといっている——二〇一九年、検閲で大問題になった「あいちトリエンナーレ」も、このくらい大人で冷静な議論ができていれば、と心底思う。

現代アートは、時に挑発的なもの、目をそむけたくなるものをもっているが、単純に反発するのではなく、そのコンテクストを冷静に判断する必要がある。そして、見た目がすべてではない、ともいいたい。アートが含むものは、時折複雑で分かりづらいものも多いのだ。

ヒトラーとローマ法王を題材にしたアート作品

コンセプチュアル・アーティスト、マウリツィオ・カテランにはいろいろな意味で驚かされてきた。後ろから見ると子供に見えるのに、前を見るとヒトラーが背広を着て跪いている「Him」、ローマ法王ヨハネ・パウロ二世に隕石が当たって、杖を持ったまま転倒している「La Nona Ora」、いずれもクリスティーズが扱ったインスタレーション・アートである。中でも横たわるパウロ二世は下見会会場のメインの場所に展示された。

下見会では顧客や関係者以外にも、一般の人も作品の展示を見ることができるので、ローマ法王が転倒している作品に関しては、カトリック教徒からの抗議があるかもしれないと危惧があった。しかし、人種のるつぼのニューヨークは当然、宗教・人種・主義主張・ジェンダーの異なる人間ばかりなので、それらすべての人とディールをしていかなくてはならない。なので、いちいち各宗教、各人種に配慮していたら、何もできなくなってしまうということで、一般公開の原則を崩さずにごく普通に展示を実行した。実際、小さなデモが起きたりしたものの、こちらも譲らず展示し続け、心配していたような大きな問題は起きなかった。

跪いて懺悔(ざんげ)をしているようなヒトラー像に関しては、やはりユダヤ人（ニューヨークのアート界で、ユダヤ人を敵に回したら商売できない）の抗議が予想され、顔を壁に向けて置いた方が無難なのでは？　という意見もあったが、やはり普通通りに前後の姿が見えるように置いて、何の問題も起こらなかった（これも多少の抗議があったかもしれないけれど）。

私はこれが日本だったらどうだったろうか、と考える。例えば天皇に隕石が当たって倒れるインスタレーションが展示されたら……検閲好きな日本、脅迫に屈するような美術館や関係者が多い我が国では、アートの自由性も、それを相手に説明できる議論の場さえ、用意されないに違いない。

カテランは独学の人で、高校を中退し、清掃員、警備員、看護師や納棺師など、いろいろな仕事を転々としていたようで、ゴミの焼却所で材料を集めて、自分の作品をつくり始めたという。カテランの作品のように、観た人が観る前の自分に戻れなくなるようなアートこそ、現代美術の粋といえるかもしれない。

「文部科学省に物申す」会田作品を巡る議論

二〇一五年、東京都現代美術館で会田誠氏の作品「檄(げき)」に抗議があり、館側が撤去要請したものの、結局話し合いの結果、曖昧なまま展示が継続された一件があった。私は主催者が一度展示を決めたものは最後まで飾るべきだ、という考えである。もし途中で抗議が来たから止める、というのなら、最初から展示しなければよい（抗議は一人だった、という話もある）。公立美術館で公開した以上、明確な判断があったうえでなされたはずで、少なくとも税金を給料としてもらうプロとして仕事をしている以上、そういう覚悟がないといけないだろう。

会田氏の作品は白い布が天井から長くぶら下がり、そこに奥さん（現代美術家）、お子さん（中学二年生）と一緒に文科省への要望を墨で書きつけたものである。「檄　文部科学省に物申す　会田家」と、いかにもの抗議調の書体で書かれている。館側は同じ内容をワープロで打って掲示するのはどうかなど、作品変更や代替案を提案したというが、この書体自体に意味があるし、友の会会員によるたった一件の電話抗議だけで、いやそれ以上の抗議があったとしても、そんな提案を館側からアーティストにすること自体、理解に苦しむ。

会田氏は自作品に関して、三島由紀夫の「檄」に比べれば「へなちょこ」であるといっている。作品がかもすおどろおどろしさとは反対にユーモアをまじえ、内容も家族の普通の会話程度のことだ、ともいっている（個人的にはそうでもないとは思うが、家族によってはありえるかもしれない）。「もっとゆっくり弁当食わせろ」「（教科書のページの）カラーとかカサ増しいらん」にはさすがに笑ってしまった。

それにしても、この企画展のタイトルは「おとなもこどもも考える　ここはだれの場所?」というものだったので、展示の意図にぴったりの作品だったのではないかと思うし、それだからこそ都現美も本作を展示したはずだろうに。

あいちトリエンナーレをどう考えるか

私自身、問題になった「表現の不自由展・その後」を観ることができていないので、個々の作品の評価ができないことを断っておきたい。ただ、八月一日に始まって三日に中止し、一〇月八日に再開し一四日に閉鎖したので、残念ながら実際に観に行く時間がなかった、というのが正直なところである。

主に問題となったのは、従軍慰安婦を題材にしたといわれる「平和の少女像」(金運成(キムウンソン)、金曙炅(キムソギョン))と、昭和天皇の写真をコラージュした「遠近を抱いて」という自作の版画を燃やした映像(大浦信行)の二作だ。

どちらもトリエンナーレ開催前から物議をかもすのは目に見えている作品で、抗議活動や公的検閲が行われることを予想した準備もなしに、実際に展示に踏み切ったこと自体が問題である。先にも記したように、展示を途中で止めるなど現代美術のプロのやることではない。私はあいちトリエンナーレの組織については詳(つまびら)かではないが、芸術監督だった津田大介氏の側で、誰か現代美術の専門家がアドバイスするかたちをとった方がよかったろうと思うし、そうすれば事前の対応策や事が起きた時の闘い方など、その専門家が体を張って用意したことだろうと思う。

私案だが、例えば当該作品の展示スペースをカーテンや何かで区切り、観たくない人はスルーできる動線にしておいて、「この先には、観る方によっては過激な政治的主張をもつと思われる作品が展示されておりますので、それを承知のうえでご覧ください」などの注意書きとともに「R18」的なコーナーを設けてもいいし、そのコーナーを観覧した人に出口でアンケートを取って、そのデータを公表し、それを基に討論会を開くのもありではないか。

さてこれらの作品、「少女像」のアーティストは韓国人だが、自国のベトナム派兵での民間人虐殺を反省し悼む像もつくっていると聞くし、自作の版画を燃やした大浦氏は、新聞のインタビューで、「燃やすことは、傷つけることではなく昇華させること」と答えている。

観覧者はもちろん、彼ら作家の行動や発言を疑うのは自由だが、先に述べたように、コンテンポラリー・アート、特にコンセプチュアル・アートではコンテクストをきちんと理解しないと、誤解を生じやすい作品がある以上、「一度は」しっかりと、冷静に、彼らの言い分を聞かねば、観る側も最終的な判断を下せないように思う。

実行委員長の大村秀章愛知県知事が「表現の自由」を守る立場から再開を決めたが（これは英断）、最終的には政治の力で休止にされたことも確かなわけで、やはり実行委員長が政治家というスタイルも一考する必要がある。海外では常設の財団や企業が運営していることが多く、それは公的な人間や団体こそが規制をかけたり、検閲をしたりすることが分かっているからだ。

この事件が起こった後、文化庁が実現可能性の低い展示会と知っていれば、補助金交付を決定しなかったといい始め、不交付に切り替えた。これは専門委員が交付ＯＫを出したものを無視するものであり、加えて不交付の際に彼らの意見を聞くことすらしていなかった（当初の約七八〇〇万円が約六七〇〇万円と減額されて、のちに交付された）。

海外では公的支援が妥当かどうか検討する専門家集団、「アーツカウンシル」という組織がある。「金は出すが口を出さない」を原則とする（平田オリザ、朝日新聞二〇二〇年二月二九日）、英国で第二次世界大戦後の一九四六年に創設された団体だが、戦時中、音楽家やアーティストが軍隊へ送られ、芸術が政治的に利用されていた状況の中で、あらためて芸術への支援のあり方を問い直すことを目的として創設された組織である。

日本では独立行政法人の日本芸術文化振興会がおそらくそれに近いのだろうが、独立性やスタッフの数なども十分ではない、と指摘されている。

　また公金を使っての「公益性」の観点からいって、先の二つの作品を自治体が支援するのはどうか、という議論がある。しかし、政治が口を出し始めれば力をもたない民衆はひとたまりもない、ということを考えれば、やはり「金は出すが口を出さない」が原則だと思うし、そうでなければ国や自治体が自身でアートをしっかり勉強し、かつてヒトラーがやったように「退廃芸術展」とでも「反体制芸術展」とでも名付け、展示すればよろしい——そう考えると、「晒し者」的目的でも展示しただけ、ヒトラーはこの件の誰かよりエライともいえる。

「表現の自由」は憲法が保障する基本的人権の一つで、とても大事な規定である。明らかに人を差別したり、名誉毀損が明確な場合を除けば、「政治性」や「人を不快にさせるかどうか」は、展示の判断基準にならない（愛知県が設置した第三者による検証委員会の報告による）。

　アートを好む人の中にはこの種の話を煙たがる人もいる。しかしアート、特に現代美術の一部に物議をかもし出すこと自体を目的としたものがあるのも事実で、デュシャンの便器もその類いだろう。この問題をそれこそ〝窓口〟にして、関心のある人とディスカッションするのもアートの重要な一面であり、最も自分の勉強にもなる行動だと思う。

アートは時代のカナリア

この騒ぎの後、オーストリア・ウィーンで開かれていた日墺国交一五〇周年記念の展覧会、「Japan Unlimited」の公認を、日本大使館が取り消す事件もあった。イタリア人キュレーターがキュレーションした同展には、「表現の不自由展・その後」にも出品していた芸術家集団「Chim↑Pom（チンポム）」の作品や、会田誠氏のこれも東京都現代美術館にも出展していた「The video of a man calling himself Japan's Prime Minister making a speech at an international assembly（国際会議で演説をする日本の総理大臣と名乗る男のビデオ）」などが展示されていた。特に会田氏の作品は会田氏自身がその総理大臣を演じ、つたない英語で過去の侵略を詫びる、という内容で、私も実見したことがあるが、何しろユーモアとペーソス、そして批判性豊かな素晴らしい作品だ。

また物議をかもすことが狙いの一つでもあるChim↑Pomも、私の大好きな傑作ビデオ作品「堪え難き気合い一〇〇連発」はグッゲンハイム美術館に、そして福島の震災直後に撮影した「REAL TIMES」はポンピドゥセンターに収蔵されているくらいには、世界の現代美術界では認められているにもかかわらず、だ。

実際展覧会が開かれてからも、外務省の人間が観覧にやってきたり、何の問題もなかったらしいが、急に認定取り消しとなってしまった理由は、現職総理大臣、天皇、福島第一原発を取り扱った作品だったからららしい。ちなみに本展には国は認定だけで、助成金は出していなかったそうである。イタリア人がキュレートしたウィーンでの国交記念展覧会に、金も出さずに口だけは出すとは、一体どういうことだろう。

このように、日本が関わる「表現の自由」を巡る軋轢(あつれき)は立て続けに起こっていて、世界がその一挙手一投足を見つめている。そして当然、芸術家も外国メディアからのインタビューを受けるし、海外で日本の未成熟な状態について発信する(さすが、言論の自由度世界六六位の国家だ、という言説で)。自由の抑圧が、結局日本のイメージダウン、国益の損傷につながるのは歴然。本件の当事者の一人、会田誠氏がいみじくも、

「僕やチンポムのような民間で活動してるアーチストも、イタリア人のフリーのキュレーターも無傷。傷を負ったのは『日本』という国ですよ。そのキュレーターは今日、ヨーロッパの大手新聞二社のインタビューを受けたそうです。ヨーロッパの多くの人々がどのような記事を近々読むか、想像できますよね？」(二〇一九年一一月六日)

とツイートした通りである。

アートは炭鉱の入口に吊るされたカナリアのようなもので、毒の存在を先に感知して教えてくれるアラームである。政治の側はよほど慎重に取り組まないといけない。

この章の最後に、先述した「アーツカウンシル」の初代会長で世界的なマクロ経済学者、ケインズのことばを記しておこう。

「公共的な組織の役割は、教えることでもなければ、検閲することでもない。そうではなくて、勇気、自信、そして機会を与えることなのです」

第5章　アートの見方、お教えします

1　絵を頭で見るか、心で見るか

さまざまに解釈される絵

私もロンドンにいた頃、さんざん観に行った、コートールド美術館所蔵のマネ作「フォリー・ベルジェールのバー」という作品には、いろいろなことがいわれる。ちなみに「フォリー・ベルジェール」とは現在も営業しているパリのミュージック・ホールのことで、踊り子が舞台で歌い踊ったり、その他にもシャンソン、オペレッタやアクロバットと、さまざまなパフォーマンスが繰り広げられていた。モーリス・シュバリエ、ジャン・ギャバン、チャールズ・チャップリンもその舞台に立ったと聞けば、人気一流の場所ということがお分かりになるだろう。

この絵はその中のバーの様子を描いている。

正面の女性（バーメイド）の後ろは鏡で、女性の右に映っているのは正面の女性の背中だという。その後ろ姿の女性が前にいる男性と話をしているように見えるが、ただそのように映り込んでいるだけで、二人は会話をしていない、という見方もある。

さらに、このバーメイドは高級娼婦で、バックに映る女性たちも同業だという（モーパッサンによると、バーメイドは「酒と愛の売り子」だそうだ）。

それにしても、よくもまあいろいろな解釈をするものだと思う。しかし、私はこの絵にそんな複雑なものは見ない。

私は後ろに鏡があるとは思わず、円形のバーカウンターの右の女性は正面の女性とは別人で、その女性は前にいる男性と普通に話をしていると思っていた。正面の女性と右の女性の位置が離れすぎているし、身体のサイズも違うからである。

一番気になったのは、バーメイドの目の焦点の合っていなさそうな、ぼんやりとした感じである。人間はどういう時にこういう顔をするだろうか、などと考える。

女の子がかわいい、目がきらびやかだ、少し退屈そうだ、といった感想の方が素直ではないか？　鏡がどうの、映り込みの角度がどうの、ということに、どういう意味があるというのだろう。

ましてや彼女を最初から娼婦として見て、この絵は楽しいのだろうか？　あの絵に娼婦性を見るのはかなり立ち入った話だが、マネは本当にそういうものを描こうとしたのか？　百歩譲って娼婦かもしれないが、この女性は純真そうに見えないか？

それに「娼婦」といっても、その中身はどうなのか――日本の吉原では、花魁（おいらん）には拒否権があったという。花魁は大変な教養を備えていて、そうなると英語でいうところのいわゆる「Prostitute」ではなく、「Courtesan」なのである。ベルジェールの彼女を高級娼婦と呼びたいなら、その実質もきちんと知りたくなるのも必然。

そもそも印象派はそこにないものばかり描いているわけで、この絵だけにきちんと論理性を求めても意味がない。あまり実践的に観ると、絵はイマジナブルなものではなく、全部見たままを描いたもの、ということになってしまう。

もしこの絵が、実際に観た時の感じではなく、そういう〝解釈〟の多さで生きながらえてきたとしたら、少し寂しい気がする。

私はそんなことよりも、この絵の中に、どんな音楽が流れていたかが知りたい。シャンソンか、小さな編成の室内楽か、バンドか、それとも猥雑なフィドルの音か。

さて、ここまであえて美術史的研究成果に背いた話をしてきたが、要は、アートや展覧会に関するテレビ番組は、基本的に展覧会の開催スケジュールに合わせて放送されるので、事前にそれを見てしまうと、絵の解釈だけを頭に押し込まれてしまう危険性がある。「コートールド美術館展」に合わせて、今まで述べてきた「フォリー・ベルジェール」の番組もあったが、いくら意志を強くもって出かけても、つい頭に残っている情報に「だけ」合わせて絵を見てしまう可能性がある。それはもしかしたら、あなたにとってすごくもったいないことかもしれない。
事前の知識のさじ加減というのは、とても難しいのだ。

絵は無心に見る

絵に素直に出合うという意味では、事前の準備はなしに展覧会に出かけるのがベストである。ただ、「ハプスブルク家の秘宝」とか「エルミタージュ博物館」といった大きな枠組みの展覧会に行く時は、少しは勉強して出かけた方が、よりその場での味わい方が深まるように思う。

そういう大きな展覧会になると、会場での説明を含めて、結構な量の情報を消化しながら絵を観ることになる。それはそれで大変な作業なうえに、ただ眺めるだけでも、特に大混雑の中で絵を観ることはすごくエネルギーを使うので、とても疲れてしまう。その負担を事前に少し軽減させてはいかがですか、という意味である。

なので、お勧めは基本は無心で出かけて行って、その場での出合いを楽しむことだ。等伯の「松林図」を観て、いたく感動したというなら、図録を買ってそれについて読み、勉強する。そのついでに、等伯が活動した時代における彼自身、彼の作品の位置を知ると、もっとその作品のもつ衝撃度が分かってくる。そうすると、「松林図」が当時の最先端の

「現代美術」だったことも分かってくるし、狩野派全盛の時代にあって、あの軽やかで、精神性だけでできているような絵がどのような意味をもつのか、といった疑問も出てくる。

安土・桃山時代は、信長の政策のみならず、芸術面における茶道への傾倒や南蛮趣味を見ても、時代が大きく動いたことが分かる。信長がキリシタンを厚遇したことはよく知られていて、例えば彼らを家臣にも見せない岐阜城の麓（ふもと）の館に招き入れることまでしている（川崎桃太『フロイスの見た戦国日本』中央公論新社）。信長自身も、南蛮渡来のマントを陣羽織代わりに纏ったといわれているほどの南蛮数寄であったが、文化面で茶の湯を信長より継いだ秀吉は、南蛮胴（鎧）を献納されたりしたにもかかわらず、のちに伴天連（バテレン）追放令を出す。その間時代はスピードを増し、本能寺の変、明智光秀から秀吉への権力の移動など、変化もめまぐるしい。そして狂気に駆られた秀吉の朝鮮出兵……。

その秀吉に自死を命じられた、時代の革命者千利休ももちろん忘れてはならないが、その利休や大徳寺の僧らに等伯は愛された。等伯はそういう時代背景から出てきた人なのだ。

繰り返しになるが、展覧会を見終わってその画家のことが気に入ったなら、画集や図録を購入することをお勧めする。学芸員や大学の研究者など、信頼の置ける専門家が執筆しているはずなので、不確かな、あるいは誰が書いたか分からない情報が溢れるネットとは違って安心である。忙しいという方は、ざっと気になるところを読んで、その展覧会でチェックした絵や作家の解説だけ入念に読む、ということでいいと思う。

そうすると、自分が何となく気になった画家や絵が、きちんとあなたの中にポジションを占めることになる。

知の楽しみ

私は展覧会で絵を早見するタイプであると前に触れたが、それはプライベートな場合の話で、仕事では当然じっくりと時間をかけて向き合う。

早見の場合、私独自の「美の琴線」に触れてくるものをチェックする。早見の私を立ち止まらせるもの、それは絵のタッチであったり、配色や構図がおもしろかったり、題材が変わっていたり、今まで見たことのない過激なものだったりと、何か心に訴えかけてくるものがあるはずである。それが〝美の琴線〟に触れるということではないかと思う。

美は心を揺さぶってくる何ものかである。時に脅かしたり、うっとりさせたり、気持ちをざわざわと落ち着かなくさせたり、場合によっては酷い嫌悪感を抱かせたり、人の心を動かす作用がある。

自分の「美の琴線」を知りたい場合、自分の趣味はこうだと限定しないで、積極的にいろいろなものを観に行くことをお勧めする。というのは、思いもかけぬものに自分が反応するかもしれないからで、心を震わせるものに出合えば、「美の琴線」はいつでも鳴る準備をしているから、心配は要らない。

一つ、某美術館館長から聞いた、おもしろい例を挙げよう。

その館長のお祖父様、お父様は日本でも有数の古美術コレクターで、話は先代の奥様、現館長のお母様のことである。

その館長氏だが、美術館ができ、家のコレクションを引き継いで館長になる前は、現代美術の画商をしていて、当時未だまったくの無名作家だった村上隆氏の作品を扱ったりしていた。

さて、館長はその無名時代の村上氏の展覧会を、年に一回は画廊で必ず開催していたのだが、そのたびにお母様から、

「あなた、またこんな変なもの飾って！　毎回毎回、いい加減にしなさい！」

と怒られていたという。

が、村上氏の展覧会を始めて何回か目に、館長はお母様にこういったという。

「お母さん、お母さんみたいにお祖父さんや親父に散々いいものを見させられて、勉強させられた人に、毎回『こんな酷いもん！』っていわせ続けるアートって、もしかしたらどこか見どころあるんじゃないか？　どうでもいいアートだったら、いつも無視するし、何

もいわないんでしょ？」

確かに国宝・重文を屋敷内に持つ家に嫁いできて以来、人生を通して世界の一流美術品を観てきたお母様は、息子のそのことばを聞いて、ハッとしたという。どうでもいいアートは話にも出さないし、興味もない。批判・文句をいう時間すら無駄と思っていたからだ。その後の村上氏の世界的活躍はご存知の通り――この話も「琴線」に触れる好例ではないかと思う。

私は、絵は究極の「知の楽しみ」なのではないか、と考える。

例えば印象派の絵を観れば、こんな世界の見方があったのかとハッとさせられる。当時の人たちもまた、印象派の画家の世界の見方に強く衝撃を受け、理解よりも反発したのである。クレーやシャガールの絵を観ると、まるで異次元世界に触れたような思いがする。不安に押しひしがれそうになったムンクの絵を観れば、世界はこんなに恐怖に満ちたものなのか、と思わせられる。

私はそれを総じて「知の楽しみ」と呼びたい。自分の内部に別世界を取り込み、現存する自分の世界を押し広げるような経験といってもいい。絵を観終わった後、心なしか自分が賢くなった気がするのはそのためで、なぜなら自分の中に世界を多くもつことこそが、賢者の必要条件なのだから。

絵の美しさと理解は違う

日本人はマジックを見ると、しきりとその秘密を知りたがるが、外国人はただ目の前の手際のよさを楽しむだけ、といわれる。絵に関してもその傾向がありはしないか、という気がする。先に無心に絵に触れる、と書いたことと関連する話だ。

例えば「聖母子像」を観て、美しいと感心する。描かれた対象が何か、どんなバックグラウンドがあるのか、時代はいつなのかを深く知らなくても、私たちはなにがしか感じることができる。理解したうえでないと対象に触れられない、とすれば、かなり限られたアートにしか接することができないだろう。

絵を観て、もし心に引っかかるものがあれば、その後で調べ事をする。「聖母子像」が担った意味とは何か、その描かれ方は時代や地方によってどう異なっているか、絵の中に描かれる付属的なものに変化はないのか――そういう知的理解は必要に迫られてやった方が身に付きやすい。お勉強のつもりで予習をやり過ぎると、木を見て森を見ない的に、絵を理解しようという気持ちが先に立ってしまい、純粋に絵を楽しむということが難しくなる。

コンセプチュアル・アートという世界がある。コンセプト、つまり概念とか観念とかを訴えるアートだから、「視覚」よりも「理解」が先に来るような作品が多い分野である。

つまりビジュアルだけでは理解ができづらいので、その作品の説明文のためにカタログの数ページを費やす、ということもありえるアートなのだが、このコンセプチュアル・アートは、マルセル・デュシャンが始めたとされる。彼の有名な作品で、通称「大ガラス」、正式名称「彼女の独身者たちによって裸にされた花嫁、さえも」が制作された後、その過程に書き留められたスケッチ、写真、メモ類九四点が箱（「グリーンボックス」）の中に納められて出版されたが、デュシャンはこの「箱」を含めて作品だと主張した。

よくデュシャン以前、以後という言い方をするが、自分の創作過程を公開し、それを作品に欠かせないものだとして出版するなど、前代未聞のことだった。アートが別の次元に入った証である。

しかし、彼がトイレを「泉」と題して出品することと、例えばマウリツィオ・カテランが一八金のトイレ（「アメリカ」というタイトルの作品である）を制作することとは、根本的に違う気がする。もうデュシャンがもっていた衝撃度はなくなって、その二番煎じ、三番煎じを見せられている感じさえする。

極端なことをいえば、コンセプチュアル・アートはデュシャンで始まり、デュシャンで終わった。「概念」を見せる、ということが新しかったとすれば、もうそのマジックの種明かしも終わってしまっているといえよう。

正直、私自身、その種のアートに飽きが来ているということもある。アートはもっと根本に戻るべきではないか。その色や構図や造形の衝撃に心を揺さぶられたり、動かされたりすること。その原点に立ち戻るべきではないか、という気がしているし、そんなアートに出合いたいと日々切望している。

2 プロには「検分」という絵の見方がある

絵に近づいて観る

ある美術館の内覧会があって行ってきたのだが、その時に気づいたのは、絵を遠くから観る人が多く、ガラスの区切りに額までくっつけて観ているのは私ぐらいだったことだ。

絵のタッチや絵具の盛り上がりがどうなっているかは、近づかないと分からない。表面がひび割れているのは、保存が悪かったのか、絵具の質や配合が悪かったのか。人物画であれば、光が目にどう入っているかも気になる。

日本画なら落款・印章はどうか、紙に描かれているか、絹に描かれているかも見ねばならない。もちろん絹の方が描くのは難しくなるのだが、近づいてみると、絹の線が見え、絹本（けんぽん）かどうかが分かるし、絹の感じで時代も分かる時がある。説明カードにも紙本墨画（しほんぼくが）、絹本著色（ちゃくしょく）などと書かれているので、自分の見立てが正しいかどうかチェックをする。

油絵では板に描かれているのか、キャンバスなのか紙なのか、オイル、テンペラなのか、グアッシュかパステルなのか、それとも鉛筆かチャコールなのかも見るし、サインがどう入っているかも調べる。

サインで例を挙げると、藤島武二が一九二七年頃から三〇年頃にかけて、イタリア・ルネッサンスの画家ピエロ・デッラ・フランチェスカの影響を受けて、女性のプロファイル像を描いた時代、イタリア語風にサインの綴りがFujishimaではなくて、Fudishimaとなっていたり、Uも落ちてFdishimaとなっていたりする（ポーラ美術館所蔵「女の横顔」）ので、サインの綴りを見て、いつの時代の絵か分かったりするのである。

このようにこれぞと思った絵には、こういう「接近遭遇」をお勧めする。さすがの早見の私でも、気に入った絵、気になった絵には最大限近づいて観て、時を忘れることもある。絵にはなぞ解きの要素がたくさんあるので、それを楽しむのも鑑賞法の一つである。

日本の古美術の鑑賞では、特殊な用語が引っかかることがある。日本画、特に水墨画にはたらし込み、ぼかし、没骨（もっこつ）法などいろいろな技術があるが、これも一度どこかで軽く覚えておけば、次の鑑賞の時に役に立つ。ああ、いつものあの技を使っているな、と絵師に親近感が生まれるだろう。

日本の屏風絵の場合にも、覚えておくと便利なことばがある。例えば、六曲一双とか二曲一隻という言い方をする。「双」とはペアのことで、隻は一つのことである。

だから、六曲一双は六つの面をもったものが二つあるという意味で、二曲一隻は二つの面をもったものが一つあるという意味である。一双屏風は向かって右側が右隻、左側が左隻と今は呼ぶ（昔は逆だった）。掛軸の場合はペアのものだったら対幅、三本の掛軸で一つの作品の場合は三幅対、数が増えるにしたがって四幅対、五幅対……となっていく。

また掛軸・屏風に共通する語法で、紙本は紙に描かれたもの、絹本は絹に描かれたもの、著色は極彩色を施したもの、淡彩は淡く彩色をしたもの、墨画は墨のみで描かれたものをいう。また金地・銀地は、金箔、あるいは銀箔が絵の地に貼ってあること、金彩・銀彩は金か銀の絵具が使われているということなので、これらもその作品のマテリアルを知るのに有益である。

もし展覧会のカードや図録に「絹本墨画淡彩」とあれば、絹地に墨で描かれた絵で、淡い色彩が施されているということだし、「紙本金地著色」とあれば、紙に金箔を貼った上に彩色画で描かれている、ということになるのである。

この辺の用語は展覧会でもよく目にするし、図録や画集でも必ず用いられているので、ちょっと意識して覚えるようにすると、少し絵の世界に近づいた感じがするうえに、友人と展覧会に一緒に行き、さらっと「ああ、あの屏風は紙本金地著色、六曲一双だね」などと呟けば、尊敬されること間違いなしのドヤ語なのである。

トレイニーとして一年の修練

私はクリスティーズに入っての最初の一年間、グラデュエイト・トレイニーとしてロンドンで研修を受け、その後はニューヨークで約一〇カ月間のインターン生活を送った。

ロンドンでの研修期間は今思い返しても、人生で一番辛かった一年で、夜へトヘトになって帰ったアパートで、一人涙したほどだった。ことばの壁、文化の壁、人間関係の壁、いろんな壁が身の周りに立ちはだかり、息をするのも辛い感じがあった。

ところが関門を一つひとつくぐるたびに、視界がパッと開かれる感じもあって、ああ自分は今成長しているのだ、と実感することも多かった。先に広告会社での過酷な上司のことを記したが、自分にはなぜか辛抱強いところがあって、それはことばを変えれば負けず嫌いなのかも知れないが、ただでは転ばない性格であることが分かった。何事も究極的に実践してみないと、自分の本当の性格さえ分からない。

ロンドンでのグラデュエイト・トレイニーは、四つの部門を三カ月ずつ経験し、それぞれの適性をチェックされる。私の場合は、印象派・近代絵画、一九世紀コンチネンタル絵画、中国美術、西洋版画の四部門であったが、そのトレイニーの基本的な仕事は、倉庫での下働き、「カタロギング」と呼ばれるいわば検分作業で、作品の身許調べのようなものである。

最初に行ったのが今はもうない一九世紀コンチネンタル絵画部門で、この部門は一九世紀の印象派以外のヨーロッパ絵画、例えばミレーやコローらのバルビゾン派、アングルやドラクロワ、ブグローらのアカデミックなフランス絵画、そして日本ではほとんど知られていない、北欧や南欧の画家の作品を扱う部署だった。

作品の身許調べ「カタロギング」

トレイニーの私は、毎日朝一度オフィスに顔を出すと、すぐに地下にあるオークションにかかる作品を保管している倉庫に向かう。そこで一点一点作品を出してきて机に載せ、規定の項目が書かれたシートを用意し、そこに調べたことを順次記載していく「カタロギング（検分）」の仕事をする。このカタロギングこそ、いかなる分野でもスペシャリストの基本となる作業で、これがきちんとできない人間は、将来一流のスペシャリストにはなれないと断言してもいい。

まず絵を額から注意深く外して、シートに作者名を記載するのだが、あろうことか、まずここでつまずいてしまう。

例えば、サインは「ジェームズ」としか入っていないが、何ジェームズだろうか。ラルースという出版社から出ている、もうボロボロになった二十何巻かのアーティスト・ディクショナリーで調べたり、古いカタログに当たったりして、自分なりの結論を得、ジェームズの名を確定して書き込む。

今でもある種の胸の疼きなしには思い出すことができないのが、クックcourtesy

私からすると桜田淳子の歌のような、愛らしくもふざけた感じの北欧の画家の名前である。Koekkoekという綴りで、よくこの分野のマーケットに出てくる画家ではあるのだが、何しろラルースには数ページ近くにもわたって、たくさんのクッククックさんの名前が出てくるのだ。日本でいえば、「狩野」とだけ落款があって、狩野の下の名が誰か分からない、という状態なのだが、狩野派だって狩野の姓をもつ全絵師を辞典に載せれば、何ページにもわたるだろう。つまりクッククックは、狩野派のように数世代にわたっての画家一族の家系なのだが、問題は今目の前にある絵が、その内のどのクッククックの作品なのか？

なのだ。まるでヒントは少なく、容疑者ばかりが多いミステリーみたいなものである。クックックックの名は、今でもトラウマとして残っていて、一生忘れることはないだろう。

それがどうにかすむと、作者の生没年を書いて、作品のタイトルも書き込む。そのタイトルも絵の中に書かれてあれば問題がないが、自分で何かふさわしいものを付ける必要がある場合もある。額の後ろにたまに昔のギャラリーのシールが貼ってあって、そこにLandscape（風景）とあれば、それを記載すればすむが、何もない時は創作せねばならない。例えば二人の子供が、日本のあやとりのようなことをしている絵をカタログにすることがあった。ただ子供が糸で遊んでいるだけなのか、糸巻きに興じているのか、あるいはその土地独特の風習の何かなのか、それを見極めなくてはならない。日本人の私からすると、まさにミッション・インポッシブルである。

タイトルが終わると、今度はマテリアルを見ていく。絵具はオイル、ウォーターカラー、グアッシュ、パステル、クレヨン、インク、チャコール、ペンシルのどれか、それを何に描いているのか。オン・キャンバス、パネル、ボード、リネン、ペーパーなのか。ややこしいのは、時折キャンバスに描かれた絵を切ってパネルに貼ったものがあったり、キャンバスかリネンかの違いが分かりづらかったりする場合。そして額装されていればframedと記し、額にガラスが付いていればglazedという表記になる。

そしてサインはどう入っているか。signed Koekkoek なのか signed S, Koekkoek なのかを、大文字・小文字、ピリオドかカンマか、日付や場所、献辞まで、画面に書かれている情報を正確に記載する。後は絵本体のサイズを測り、来歴としてのコレクターや画廊のシール、過去のオークションのステッカー、展覧会歴となる美術館のシールなどが額裏に貼ってあれば、それも調べてシートに加える。

最後に部屋を暗くして、ブラック・ライトを当てて、リタッチの跡があるかどうかなど、作品の状態を確認する。

こうすることで、一点一点の作者名、技法から時代の流行のようなものまでが結果的に見えてくるので、このカタロギングという作業はとても勉強になる、大事な作業なのである。

欧州エリートの怒声と叱責

これで一つの絵のカタログができ上がるわけだが、一週間に一度、上司によるヒリング・セッション（Hilling Session）と呼ばれるチェッキング・セッションが行われる。この「ヒリング」は「丘」のように絵を積み上げるという意味で、hilling と呼ばれる。この日は倉庫に部長や先輩スペシャリストが集まって座り、その前に私が一枚一枚絵を壁に立てかけ、書いたシートを部長に渡す。部長はその記載事項を一つずつ絵を観ながら確認し、最終的に作品の価格を付けていくのである。

その部長X卿は「瞬間湯沸かし器」（英語では short fuse という）というあだ名が付いていたほど、とにかくすぐにキレる人だった。身体は細く背が高くて、怒ると金髪と長い鼻筋をもつ顔が真っ赤になる。彼はかなり古い英国世襲貴族の出身で、「ロード」の爵位をもち、普段は超オックスブリッジ訛りで話すが、ヒリング・セッションの時に部下を叱り飛ばす時のことば遣いは、ヤクザみたいになるのだ（英国ヤクザを私は知らないが、想像だ）。

そして恥ずかしながら、ただでさえまともな英語もできず、一九世紀ヨーロッパ絵画の知識も皆無な私が調べて書いたシートなど、滅茶苦茶なわけである。X卿は赤ペンで間違いをいちいち直しながら、「何やってんだ、カツラ！　遊んでんじゃないぞ」と怒鳴り散らす。最後は赤ペンを投げつけられ、「やってられん！　お前のせいで、赤ペンのインクがすぐなくなるじゃないか！」と強烈な嫌みをいわれる。

後で聞くと、私は二〇〇〇年以上のクリスティーズ史上、彼の部門に来た最初の東洋人であったらしいが、真っ赤になった彼から、「Go back to Far East immediately!（とっとと極東へ帰ってしまえ！）」と何度いわれたことか。

その貴族出身の部長は、小さい頃からいいものばかり見て育ってきているタイプで、美術品を見れば、もののよし悪しが一発で分かるし、オックスフォードで美術史を修めてもいるエリートだから、実際何一つまともなことができず、英語すら満足に話せない私のようなタイプは、イライラして許せないところがあったのだろうと思う。

そしてとうとう三カ月の研修期間も終わりという頃、私は古びたアパートの最上階の屋根裏部屋で、自分の不甲斐なさと鬼上司の叱責、会社や街で時折受ける差別に、悔しくも一人涙してしまった。広告代理店の時とは比べものにならないくらい、何百倍も苦しい感じがした。東洋の田舎者にヨーロッパの芸術のことなど分かってたまるか、という彼らの思いが、強く押しかぶさってくるような気がしていた。

先に書いたように、彼らに私がロートレックの名前でも出そうものなら、横を向いて相手にもしてくれない、もしくは知らないタームや名前を出して、理解できない難解な単語と訛りで攻撃してくる。それよりは禅や浮世絵の話をした方が、まだ耳を傾けてくれるが、私の英語力では彼らに聞き耳を立てさせるのも至難の業だった。

研修の四部門の中に中国美術があって、まだそっちの方が欧州絵画よりもましかと思うかもしれないが、さにあらずである。実際、普通の日本人は、まだルノワールやモネのことの方が、宋元画（そうげんが）や龍泉窯（りゅうせんよう）といった中国美術よりも詳しく知っているのではないか？　日本から出ると、自分たちがそういう中途半端な文化意識、知識不足に落ち込んでいたことが、初めてよく分かる。アジアの一員でもなければ、西洋の一員でもない、というその立ち位置の曖昧さで、それは日本人でありながら日本文化すら知らない、ということにもつながるのである。

またしても「君はよく耐えた」の評価

いよいよ「一九世紀コンチネンタル絵画部門」での最終日、その「瞬間湯沸かし器」卿が私をランチに誘ってくれた。連れて行ってくれたのは、会社の近所のかなり有名なシーフード・レストランで、「Trusty」の文字と犬の絵が彫ってあるシルバーの指輪をなぜかプレゼントしてくれた。

初めてサシでした食事中、彼がいうには、私がこの部門で研修することが決まった時、自分が部署に迎える「初めての東洋人」は、どうも英語はサッパリらしいし、外国に住むのも初めて、ましてや一九世紀ヨーロッパ絵画のことなどまったく知らないらしい、というので、彼のニューヨークの同僚で私のメンター、例のセバスチャンに相談したのだという。

「彼をどう扱ったらいいかな?」

すると、セバスチャンは彼にただ一言、「Just kick his ass!」(「ケツでも蹴っ飛ばしとけばいいんだ！」つまり「叩きのめしてやれ！」）といったとのこと……「だから君にはああいう接し方をしたんだ」とX卿はいうのだが、あの真っ赤な顔でキレた感じは、決して演技ではなかった、と私は確信している。

彼がプレゼントを私に渡しながら、「君はよく耐えた（Well, you actually survived very well.）」といってくれた時には、うれしくてうれしくて、またしてもうるうる来てしまった。私という人間は、どうも脅しすかしの悪徳商法に弱いタイプなのかもしれない。

今から思うとこの最初の三カ月間が一番辛い時期で、これを乗り切った残りの九カ月はそれほど重圧がかかった覚えがない。そしてこの悪夢の三カ月間を乗り切れた理由には、私の守護天使ともいうべき人間がいたことも大きい。

彼の名前はUといって、一九世紀コンチネンタル絵画部門にいながら、イタリアン・クライアントサービスを仕事とする人で、専門家ではなかった。私と三〇歳ぐらい年が離れていて、元ラグビーのイタリア・ナショナルチームのメンバーだった人である。

彼は私が「瞬間湯沸かし器」卿にこっぴどくやられているのを見ると、止めに入ってくれて、肩を抱いて慰めてくれたり、パスタでも食べようか！　などと息抜きに誘ってくれた。彼がいなければ、とっくの昔に私の心は折れていて、今の私はないだろうと思う。Uはその後サザビーズに移り、今はもう引退してのんびり暮らしているが、先日ロンドンに出張に行った時、久しぶりに彼の顔見たさに連絡を取り、ランチをした。とても元気にしていたのが何よりだったが、もう八〇歳もとっくに超えた彼に会うのは、これが最後かもしれないと思うと、またまた泣けてきた——年をとると涙もろくなるというのは、真実だ。

また私はロンドン、その後のニューヨークでの研修期間、父にさまざまなことを尋ねた。手紙で質問を出して、たまに電話する時にその答えを聞いたりした。父との距離が縮まった時間かもしれない。一〇年近く前、父の死後仕事机の整理をしていたら、引き出しから私からのエアメイルがたくさん出てきた。またまた水滴が目からこぼれそうになった。

この節の最後に付け足せば、あの「瞬間湯沸かし器」卿は、今サザビーズの最高幹部の一人となっている。彼がこちらの下見会にも顔を出して私を見つけると、「おお、カッーラ！」と近づき、私も「おお、M（彼のファーストネーム）！」と握手し、ハグし合っている。周りは、なんでライバル会社同士の、英国貴族の最高幹部と日本人社員がそんなことをしているのか、まったく理解ができないに違いない。

3　作品に即しての具体的な鑑賞手ほどき

七つの鑑賞法

美術館で絵を見る場合の心得というか、こうしたらもっと深く絵を味わうことができますよ、というアドバイスとして、次の七点を挙げよう。第１章で挙げた鑑賞法とダブるが、ご容赦いただきたい。

一　絵を全体で見るようにする
二　自分が好きな絵かどうか考えながら一部屋を巡る
三　その部屋で一番好きな絵を決め、その絵に戻る
四　なぜその絵が好きかを考える。色彩？　構図？　画題？　人物の顔……？
五　作品カードを読み、覚えておきたいことをメモる
六　同じことをすべての部屋で行い、自分のベスト３を決める
七　図録を買い、家で復習をする。自分の好みと見落とした重要作品が分かる

これから具体的に鑑賞の仕方をアドバイスしていこうと思うが、取り上げるのは、次の六つ。

一　日本画＝尾形光琳「燕子花(かきつばた)図屏風」
二　西洋絵画＝フィンセント・ファン・ゴッホ「糸杉と星の見える道」

三　仏像＝運慶「世親菩薩立像」
四　焼物＝大井戸茶碗　十文字井戸　銘「須弥」
五　版画＝喜多川歌麿「ポペンを吹く娘」
六　版画＝アンディ・ウォーホル「マリリン・モンロー」

個別鑑賞法

◎尾形光琳「燕子花図屏風」

作家名＝尾形光琳（一六五八〜一七一六）
主題＝燕子花（『伊勢物語』より）
構図＝デザイン的
筆致＝軽やか
マテリアル＝紙本金地著色
体裁＝六曲一双屏風
サイズ＝各一五〇・九×三三八・八センチ
落款・印章＝法橋光琳・伊亮
制作年＝一八世紀

指定＝国宝
来歴＝西本願寺—根津嘉一郎(かいちろう)—根津美術館
所蔵先＝根津美術館（東京）

光琳は江戸時代中期の京都人で、いわゆる琳派といわれる絵画の流れの絵師という位置付けである。この「燕子花図屏風」の画題は、『伊勢物語』第九段「東下り(あずまくだ)」の条から取られていて、主人公在原業平(なりひら)が三河国八橋(やつはし)に至り、沢に咲く燕子花を見て、次のように詠んだという。「唐衣(からころも)　着つつなれにし　つましあれば　はるばる来ぬる　旅をしぞ思ふ」。この歌から、「唐衣」「着つつ」「つまし」「はるばる」「旅」の頭の文字を連ねると、「かきつばた」となる。和歌の技法の一つ「折句」、今でいう「縦読み」だ。

メトロポリタン美術館にある「八橋図屏風」と兄弟分のような絵で、そちらにはデザイン的な橋が右から左へ斜めにかかっているが、この「燕子花図屏風」には橋はない。この燕子花図屏風は京都・西本願寺に伝来したもので、光琳作品の中では前期のものといわれている。

光琳は裕福な呉服商の家の生まれで、能なども嗜(たしな)むいわゆる遊び人だった。その生育環境が彼の作品のデザイン性の強さに影響しているであろうことは、想像に難くない。彼に

燕子花図屏風
尾形光琳筆　六曲一双　国宝
根津美術館蔵

影響を与えた俵屋宗達も扇屋の生まれで、ともに京の町職人の系譜である。ちなみに等伯は武士の出身だが、染色の家に養子に入って奥村から長谷川姓になったし、若冲の「升目描き」も西陣織の影響があるといわれている。

光琳のこの絵は、図柄が繰り返されていることから、下描きに型紙を使ったのではないか、ともいわれている（実際屏風を見てみると、まったく同じ図柄が反復されている箇所がある）。地には全面に千枚以上の金箔が貼られているが、金箔は色がのせやすいという特色がある。使われている二色の絵具は高額な岩彩だが、ニカワが混ぜられているので接着することが可能になる。屏風は閉めたり開けたりするので、オゼ（屏風の各扇のジョイント部）に損傷が起きやすい。よく見ると、ジョイント部の色が剥落しているのが分かる。絵具によって落ちやすい色があって、緑色に使う緑青（マラカイト）は取れやすい方だろう。美術展で見る機会があったら、屏風絵は折り畳む部分や緑青の部分に目を凝らすと、そういう点が見えてくる。

青色を出す群青（アズライト）も、部分によっては色が落ちているところがあるが、屏風を含めて紙製の日本美術品は、制作からの長い年月の間、道具として使用されてきたことを考えると、ほぼ必ず補修がされていると思っていい。ちなみに光琳は絵具を厚く塗るタイプなので、その点も考える余地があるかもしれない。

琳派の絵は、デザイン性が強いのが特色である。この絵にはリズム感とともに、音楽が鳴っている感じがある。燕子花の並び方を見ても、右隻が高音部とすれば、左隻が低音部から始まって急ピッチで音が高くなって、下がり、また盛り上がる、というように音楽性を感じさせる。楽譜に踊る音符を見るようだ、といってもいい。

そんな構図をたった二色で表現し、色の不足などまったく感じさせない。もうそれで十分といった色使いなのである。描けそうでなかなか描けない——「意匠的」ではあるかもしれないが、決して意匠や文様にはなっておらず、絵画として成立する典型的な絵の一つである。

光琳には『光琳百図』というデッサン集が残っていて、この「燕子花図屛風」とそっくりなものはないが、八橋を書き入れた燕子花のデッサンがあり、また彼の生家「雁金屋（かりがねや）」の衣装図案集には、燕子花だけが描かれたものがある。『光琳百図』には、この他に人物や「風神雷神図」、「紅白梅図屛風」の基となるデッサンも載っている。

燕子花の緑の葉は、勢いよく一気に描かれている。この躊躇なきスピード感溢れる筆使いはなかなかに難しく、勇気が要る。油絵は重ねて塗り替えることができるが、日本画の絵師は集中して、失敗の許されぬ一気描きをしている。その中でもこのスピード感はすごい。

狩野派など他派の草花図を見ると、写実的に描き込んでいるものも多く、それと比べれば、この燕子花図は異色であろう。一見反復文様に見える群青の花の部分も、よく見ればぼってりと絵具がのせられていて、抽象的ではあるがソフトな描き方がされている。当時の人はこの絵を、特に朝の陽の光や夜の燭台の灯りで見て、相当びっくりしたのではないだろうか。その意味でこの屛風は、制作された当時は大した「現代美術」だったに違いない。

海外に目を転じると、クリムトやアール・ヌーボーの作家の作品に、琳派の画面構成や意匠性のようなものが伝わっていて、ガレのガラスの絵付デザインにも、かなり影響が顕著である。印象派以前のヨーロッパ絵画に、池や沼に生える自然の草花だけに着目して、それを主題とし、その美しさやデザイン性を引き立たせて描いた作品があっただろうか。やはりモネやゴッホぐらいまで待たないと、そういった絵は存在しなかったように思う。

また描かれた燕子花の総量と、その上部にある何も描かれていない金地のスペースとの絶妙の「間」は、海外の絵画にはない。余白を生かす、余白を描く、というのは日本画の大きな特色の一つである。

規格外の画家

本作のサイズは、屏風では最も大きい「本間（ほんけん）」サイズである。

屏風は元来衝立（ついたて）、風除けであり、部屋のデバイダーであって、生活の中で使われるものである、ということが画家の意識の中にあって、いってしまえば部屋のインテリア、もしくは壁紙的な感覚で描いている可能性もある。その功罪はともかく、それがある種この絵の軽やかさにつながっているように思う。

屏風には表具はあまりないが、絵と椽（ふち）の間に、大縁（おおべり）・小縁（こべり）と呼ばれる二種類の裂が付いていることがある。裂なしですぐに椽というのもある。この屏風には大縁・小縁ともに裂が回してあって（掛軸では中回し、一文字、上下という言い方をする）、そして椽が囲んでいる。この辺の文様や色の組み合わせ、生地の差異などもよく見てみるとおもしろい。

この「燕子花図屏風」は、光琳の最高傑作といってもよい。そもそも光琳は能をやり、遊郭に沈潜し、借金まみれで家産を無くした末に絵を描き始めた人で、超俗に生きた常識外の人である。そういう人間が描いた絵だと思うと、この絵のもつ新しさが納得できる気がする。いつの世でも、優れた現代美術はまともな発想では出てこない。

私はつくづくそういう規格外の画家、アカデミズムから外れた絵師が好きで、それは自分が美術界のアウトローだから、としか思えない。

ＭＯＡ美術館にある光琳作のもう一つの国宝、「紅白梅図屏風」も有名である。こちらも独創性豊かで、紅梅、白梅はタイトルになってはいても脇役で、真ん中に大きなひょうたん形のような川が流れている。黒く酸化した色も抑え気味で、タイトルから来る派手さはまったくない。川には「観世水（かんぜみず）」と呼ばれる文様に似た、銀を使った波が幾何学的に描かれていて、あまり流れているようには見えず、意匠的である。

また、光琳蒔絵の名称があるくらい、光琳デザインの蒔絵を施した硯箱などは、人々の間でとてもポピュラーなものだった。加えて「光琳波」「光琳菊」といったデザインは江戸っ子の好みにあって、人気を博したという。

◎ゴッホ「糸杉と星の見える道」

作家名＝フィンセント・ヴィレム・ファン・ゴッホ（一八五三〜一八九〇）
主題＝死と再生
構図＝大きな糸杉が中央に、左右に丸い星と三日月
筆致＝荒々しい
マテリアル＝油彩、キャンバス
体裁＝額装
サイズ＝九一×七二センチ

糸杉と星の見える道
フィンセント・ヴィレム・ファン・ゴッホ筆
クレラー・ミュラー美術館蔵

サイン＝なし
制作年＝一八九〇年
所蔵先＝クレラー・ミュラー美術館（オランダ）

この絵は、ゴッホ最晩年の作である。他に糸杉と星と月を描いたものとしては、「星月夜」という名作があって、所蔵はMOMA（ニューヨーク近代美術館）だ。それは糸杉が左端にあって、三日月が右端、その間をうねうねと星がいくつも飛んでいて、夜を輝かしている。下の方に人家や教会の尖塔がプリミティヴに描き込まれているが、圧倒的なのはやはり渦巻く星と、雲か気流かの流れである。

ゴッホは印象派というくくりでいえば、後期の画家ということになる。生前には一枚しか絵が売れなかったといわれ、画商である弟のテオから財政的な支援を受けていたことが知られている。アルルにゴーギャンと一緒に住んでいたのは死の二年前の二カ月ほどだったが、筆のタッチで厚塗りの絵を仕上げるゴッホと、薄塗りの色の分割構成で絵をつくるゴーギャンでは、まったくタイプが違い、よくこの二人で住んで、絵の描き比べなどしたものだと思う――その共同生活の結果は火を見るより明らかだったが。

ゴッホは印象派の画家の中でも、浮世絵の影響を最も強く受けた画家の一人だろう。数百点の木版画を持っていたというし、「タンギー爺さん」には色々な浮世絵がバックに描かれており、渓斎英泉（けいさいえいせん）の美人画を模した「ジャポネズリー：おいらん」、広重の「大はしあたけの夕立」を模した「ジャポネズリー：雨中の橋」、同じく広重の「亀戸梅屋舗」を模した「ジャポネズリー：梅の開花」も油絵で制作している。

ゴッホがそもそも南仏アルルに向かったのは、浮世絵に描かれている「日本の明るい光と色、そして透明な空気」を求めたからだと、エミール・ベルナール宛の手紙に書いている。また彼は、日本の仏教徒の僧院に倣って若手作家との組合的コミュニティをアルルにつくろうとして、画家の友人たちに手紙を出して誘ったのだが、手を挙げたのは唯一ゴーギャンだけだったらしい。

私の好きなゴッホの絵に、「ファン・ゴッホの寝室」がある。同画題の三作品が知られているが、特に好きなのは旧松方（まつかた）コレクションで、現在オルセー美術館所蔵の作品だ。このシリーズ作には、ゴッホの独特な空間処理の感覚が出ているが、これも浮世絵の影響があると思われ、平面と鮮やかな色彩で構成された、妙に歪んだような室内で、遠近法が無視されている。三作の中でこの作品を特に好きな理由は、画中画として描かれた「自画像」と「アルルの女」らしき絵がきちんと描かれているからで、狂気に向かう中でも明るさを失わず、アートに没頭する姿が目に浮かぶからだ。

寝室の絵といえば、エゴン・シーレにも「ノイレングバッハの画家の部屋」という、ゴッホの「寝室」から直接的にインスパイアされた絵があり（シーレはゴッホの「寝室」を一九〇九年に観ている）、デンマークの近代画家ハマスホイには、フェルメール調の人気のない部屋を描いたものがあるので、見比べるのも楽しい。ハマスホイは最近、急に人気が出てきて、マーケットでも高額な画家である（新型コロナ騒ぎで、展覧会が中途終了となった）。

生命力の木

話を戻そう。この「糸杉」の絵で目につくのはまず当然糸杉だが、黒く燃える炎のように、そして画面に入りきらないほどで、ゴッホはこの糸杉が自慢だったようだ。三日月が杉の右上に画面ぎりぎりに描かれ、左にそれよりやや低く鈍く輝く星が描かれている。全体に中央部から白い空気のうねりみたいなものが立ちのぼり、それが星に達して、何層にも黄色い星を渦巻いている。

ゴッホは自分でこの糸杉を「エジプトのオベリスクのよう」だと、弟テオへの手紙でいっている。樹木は印象派の絵には結構出てくるが、例えばモネの「ポプラ並木」といった並木や森の絵はあっても、こういう形で樹木一本を正面からフィーチャーし、しかも上がキャンバスに入りきらずに切れている、という絵はなかなか他に思い出せない。

キリストの磔（はりつけ）に使われた十字架が糸杉だったとか、墓地に植えられることが多い木であることから、この糸杉は死の象徴だという解釈があるらしいが、私が見る限り、そんな不吉な感じはしてこない。ゴッホはこの作品に関して「苦悩と不屈をテーマにしたものだ」と語っているらしいこともあり、私には死の予感よりも、生命の強さと不屈さを表しているように思える。それと同時に、右下にすごく小さく描かれている馬車や農家、人物二人を配したことにも、未だゴッホの生きる望みのようなものを感じて止まない。

ことばを換えれば、この絵は自分の生命力の回復を願う思いから描かれた、といっていいのかもしれない。ゴーギャンとの決裂から精神的に不安定になり、診療に通っていたこともあって、暗い気分を描いたと思いたくなるところではあるが。この絵は多くの研究者がいうように、本当に、そんなに暗い絵だろうか？

実はゴッホは人付き合いは苦手だったが、明るい人だったという話もある。本物のネクラの人が、あのひまわりの絵など描けるものだろうか。躁鬱の気があったというのなら、さもありなん、という気もするが……。

粗いタッチに見えるが、よく見ると筆数はかなり入っている。スーラやシニャックの作品を点描画、ポワンタリズムというが、ゴッホの場合はポイント（点）ではなく、一筆一筆のタッチとその絵具の厚さ・薄さで、対象を表現したと考えたらいいだろう。点描派の作品を観る時は、絶対的に作品から距離をとって観ないと、絵柄がきちんと見えてこないが、しかし異なる色の点の集合で描かれていると分かるには、近づいて観ないといけない。それはゴッホも同じで、離れたり、近づいたりして観るのが、絵画の正しい見方である。

剥がれない絵具

ゴッホの絵具は、厚塗りなのにあまりひび割れず、剥がれないことで知られている。いい絵具を使っていたのかもしれないが、その調合や絵画的技術もあったのだろう。逆に絵具が弱くてクラック（ひび）が多く、傷みやすいのは藤田嗣治で、日本人画家というよりも、フランスのエコール・ド・パリの画家といった方がマーケットでも通りのよい、世界的な画家だ。ここ数年で中国でも人気が出て、香港クリスティーズでも高く売れ始めている作家なのだが、彼の作品の絵具が剥がれる理由は、藤田のシグナチャー（特徴）といってもいいクリーミーでマットな地塗りの乳白色を出すために、ロウを混ぜたからではないか、といわれていた。ところが、二〇〇〇年の修復事業の時に、表面にタルク、おそらくはベビーパウダーが使用されていることが判明した。

◎運慶「世親菩薩立像」

作者名＝運慶（一一五〇頃〜一二二三）
主題＝四世紀頃大乗仏教の「唯識」を記し、後の仏教思想に多大な影響を残した古代インド人、世親の肖像彫刻
彫り＝厚みがあり、深く、力強い
マテリアル＝木造（桂材）・寄木造・玉眼・彩色
サイズ＝一九一・六センチ
制作年＝鎌倉時代・一二一二年頃
指定＝国宝（無著像と二体で）
来歴＝興福寺
所蔵先＝興福寺北円堂（奈良）

「東洋のミケランジェロ」とも称される運慶は、鎌倉時代のいわゆる慶派に属する奈良仏師である。興福寺を中心として活躍したが、鎌倉幕府の仕事をし、またその才能から全国からお呼びがかかったらしく、神奈川、静岡、愛知、和歌山などにも運慶作品が現存する。

彼が三〇代の頃に平家が滅びて、源氏の世の中がやってくる。武士の世界である。とい

っても、未だに南都北嶺の寺院は絶大な力をもっていた時代だ。

諸説あるが、現在運慶作といわれているものは三一体あり、すべて国宝（一八体）と重文に指定されている。ちなみにクリスティーズでオークションにかかった、真如苑真澄寺の大日如来坐像もこの三一体に入ってはいるが、像内の調査が終わっていないため、未だ「伝運慶」となっており、重文指定である。

それにしてもこの世親像のリアルさは、驚嘆に値する。それまでの仏像は仏様の着衣の流れ方などの様式面に変化があっても、基本的には経典・儀軌（仏陀、菩薩、あるいは神々を対象に行う儀式や祭祀の規定）に則り、形式はともかく、写実性が第一に顔を出してくるということはなかった。やはり貴族の世界から武力でのし上がる武家の世界になって、求められるものが変わった、ということなのかもしれない。あるいは、そういう時代の雰囲気を敏感に感じて、運慶が一歩も二歩も踏み出した、ということなのか。

仏師で自分の名を作品内に記したというのも、確か運慶が最初だったと思う。が、仏像等の体内には、普通は願主の名が記されるだけで仏師の名は出てこないから、運慶には自分の名前を刻印したくなる動機があったのだろう。これは私が初めて達した領域なんだ……とでもいいたかったのか。結果、署名を多く残した運慶が、後世日本美術史上最も有名な仏師となった。

世親菩薩立像
運慶作　国宝　興福寺蔵

仏が人間と同化した、といってもよいくらいの「世親像」を見ると、インド人のはずなのに、きっと世親という学僧はこういう顔をなさっていたんだろうなという気がしてくる。世親は兄の無著とともに（お像も彼とのペアということでつくられている）、大乗仏教の唯識説を大成させ、浄土信仰を説いたというが、ここは深入りしないでおこう。

運慶は人を彫りながら、それ以上のものを表出している。彼の仁王像を見ても、筋肉隆々のリアルさを追求しながら、何かそれ以上のものを感じさせる。これはおそらくは、運慶のリアリズムに対する徹底的な追求心が、お像の表面のみならず、その思想や精神にまで及んだ証ではないだろうか。優れたアートにはすべからくそういうところがあるが、運慶はそれを儀軌に則りつつ、仏様や高僧の造像で成し遂げた点がユニークなのである。

世親像以前でリアルな高僧像といえば、同じ運慶の重源（ちょうげん）上人坐像（東大寺）、時代を遡って鑑真（がんじん）和上坐像（唐招提寺）、行信僧都（そうず）坐像や道詮律師坐像（ともに法隆寺）などがあるが、運慶作品では明らかに写実性が強くなっているのが窺（うかが）える。

後代になるほど、ゆるゆるに

仏像は本体に比べて細い手足の指が特徴で、腕や指、足は修復されているのが普通である。どうしても先端部が欠けたり折れたりして、そこから傷んでいくからである。この世親像もそういうところは修復されているはずだが、顔の部分はオリジナルの可能性が高い。

木彫の状態チェックは、絵画に比べるとそう簡単ではなく、紫外線を当てれば修復跡がすべて分かるというわけでもないが、私たちは経験を積んできているので、肉眼でどこが修復されているのか、分かる場合も多い。古い仏像の場合のもう一つの着眼点は、その修復が一体いつ頃行われたかということで、もちろん正確な年代は像のどこかに墨書されているか、寺に資料が残っていなければ分からないが、古い時代の直しか、それとも近代の直しかは分かる場合もある。

仏像の時代特定は、もちろん顔やプロポーション、全体的な様式で判断することが多いのだが、衣紋の彫りの浅い・深いとか、蓮華台の蓮華の反りが鋭いかそうでないかといったことでも、大まかな制作年代が分かることもある。例えば、蓮華でいえば、時代の古いものは角度が鋭く、時代が下るにつれて緩やか、というかダレた感じになってきて、室町時代以降になると、それこそゆるゆるである。

奈良・平安時代の仏師は当然、強い信仰心から命懸けで造仏しているから、私心がなくて技術も高く、つくられたものは全体的に厳しい作品が多い。鎌倉時代になると、運慶もそうだが、どことなく仏師に造形作家としてのエゴが出てくる気配があるが、芸術品としてのクオリティは未だ高い。が、室町時代以降の仏像は、特に美術マーケットではそれ以前に比べて、格段に値段が安くなってしまう。それは「慣れ」が人間にいつももたらすように、仏師の中で造仏時の精神性が薄まってしまい、その思いの差が技術の差として現れて、そしてそれが価格にまで影響している、という好例だろうと思う。

経年後の世界

世親像をよく見ると、衣紋に朱色が少し残っているところがあるが、これはおそらくはオリジナルの彩色ではなかろうか。そうであるならば、経年で褪色しているとはいえ、つくられた当時の色ということである。現代に生きるわれわれは、いま目の前にある渋い、枯れた色や、摩耗した像の肌を見ているから、想像するのも難しいが、たいていの仏像は制作された時は「極彩色」だったということを忘れがちである。仏様の顔や肌には金箔が貼られ、衣装には「截金（きりかね）」という金箔を細かく切ったりしたものを全面に貼り付けていたので、侘び・寂びからはほど遠く、ピカピカだったと思って間違いない。

何年か前、何の展覧会だったか思い出せないが、確か興福寺の「五部浄像（ごぶじょうぞう）」と「龍燈鬼立像（りゅうとうきりゅうぞう）」の元の色を復元してみました、という企画で、復元された二体が飾ってあったが、正直目をそむけたくなるくらいに派手で猥雑で、これを観て宗教心が起こるのだろうか？と思ったほどだった。私は屏風絵などは「当時の環境」のままで観てみたい、とよくいっているが、屏風も仏像も「当時の色」というのは、考えもので、あまりお勧めできない。

例えば、根来塗(ねごろぬり)というものがある。東大寺二月堂の日の丸盆などに用いた手法だが、元々は和歌山県の根来寺に由来するもので、木地に黒漆を掛けた後、その上から朱漆を掛けた盆やお膳といった、お寺の什物(じゅうもつ)である。

蕎麦屋でたまに蕎麦湯が入って出てくる、手付きの注ぎ口の付いた漆器を湯桶(ゆとう)と呼ぶが、根来塗の湯桶は表面の朱色が適度に剝げてくると、下の黒色と混じりだして、絶妙な感じの風合い・色合いになる。本来この二層塗りは、物を強固にして壊れにくくし、長く使う意図で考えられた技術だが、色合いや風合いは当然物にもよって異なる偶然の産物で、長く使えば使うほど日本人好みになっていくという、〝用の美〟の極みみたいなものだと思う。

長持ちさせる文化だと、まさにこういうことが起きるのだから、古美術の展覧会に行った時に「われわれがいま観ているのは、『使用後の世界』なのだ」と思って観た方がいい。別の言い方をすれば、歳を経るほどに、その時代ごとの新しさに出合っているともいえるのである。

経年劣化には別の問題もある。もし大災害が起きた時に、破損、破壊された仏像等をどう修復するのか。東日本大震災並みのことが起きれば、法隆寺が瓦解し、そこにある宝物が灰燼に帰する可能性だってある。

では、奈良時代の仏像を復元するのに、どこに起点を置いたものにするか。派手だった当時の奈良か、古びた今か、それが問われる時が来るかもしれない。おそらく日本人は古くなった仏像、仏画、仏具に思い入れがあるから、千年経ったそれを復元したいと思うのではないだろうか。そもそも元の姿をわれわれは見ていないのだから。

あるいは、思い切って派手な極彩色の仏像にしてもいい。いずれにしろ、現代の仏師の出番である。普段彼らのことを意識することはほとんどないが、今でも仏像は新たにつくられているのである。

もう一段飛び越えれば、「復元」ではなく「制作」するという手もある。信仰心さえあれば、村上隆や奈良美智に委嘱するのもいいだろう。もうすでに存在しているが、サイバー寺院とか、「2001年宇宙の旅」的な宇宙船のようなデザインの納骨堂や、ボタンを押すと位牌がクイーンと出てくる位牌堂、新宿区にある曹洞宗東長寺のように、私の友人でもある現代美術家インゴ・ギュンターによる、光ファイバーで自然光を集めて仏陀の形をつくり出す作品、「Seeing Beyond the Buddha」を展示した寺院もある時代なのだから、二一世紀的仏像をもっと観てみたい気もする。

私は決して荒唐無稽な話をしているわけではない。運慶を抜擢したり、光琳や等伯や若沖に襖絵を描かせた人々は、きっと勇気をもってその新しさに賭けたはずである。その精神は、宗教美術の分野でさえ、われわれも同じく共有することができると信じている。

都出来、田舎出来

奈良仏師のメッカ、興福寺には全国から腕自慢の仏師が集まってきて、仏像制作に打ち込んだ。もちろんそこで切磋琢磨し、腕をさらに上げた人間は田舎に戻って、そこでまた高いレベルの技を伝えるようなこともあったろうと思われる。

それでも、興福寺の千体仏などの藤原彫刻をたくさん見ると、これは田舎の人が、これは都の仏師がつくった、というのが分かる時がある。それを「都出来、田舎出来」という言い方をする。

運慶だって最初から一流の仏師だったわけではない。家族や仲間と組んで仕事をしている内に名を上げていったことだろう。慶派の仏師がまとまってある寺の仕事を受け、その出来のよさが噂になって流れ、またよそから注文が来る。そういうかたちで、運慶の名は次第に知られたことだろう（二〇代で円成寺の大日如来坐像をつくったとしても、だ）。

仏像には寺所蔵だけでなく個人蔵のものもあるし、美術館に入っているものもある。千体仏の内で有名なものには、興福寺にあったものが廃仏毀釈で流出し、それを益田鈍翁が買い受けて、さらに藤田伝三郎がその中から購入し、今は藤田美術館に入っている、というものすごい来歴のものもある。この辺の千体仏はクオリティも高く、もちろん「都出来」である。

興福寺千体仏で展覧会に出てくるようなものは、大概状態もよく来歴が正しいもので、特に来歴に関しては、最近の図録には記載されるようになってきたので、観覧の後に図録を購入して、好きな仏像の情報を集めておくといいだろう。廃仏毀釈以降、市井に流出した仏像には、宗教から離れた別の流転のロマンがある。

◎大井戸茶碗　十文字井戸　銘「須弥」
作者名＝不詳（朝鮮半島の陶工）
主題＝茶の湯で最も重要な高麗茶碗、井戸
状態と釉がかり＝割られたものを赤漆等で修復、枇杷（びわ）色の柔らかい上がりで野趣あり
箱書＝大徳寺天祐紹杲（しょうこう）
マテリアル＝陶器
サイズ＝八センチ高、一四・一〜一四・八センチ口径
制作年＝一六世紀

来歴＝古田織部―泉屋―城宗真―唐金屋助九郎―三井高伴（たかとも）―室町三井家―三井文庫―三井記念美術館

所蔵先＝三井記念美術館（東京）

井戸茶碗のオリジンは未だ不明だが、一六世紀の朝鮮半島でごはん茶碗のような雑器、あるいは祭器として使われていたという説が強い。何らかの経緯で日本に入ってきて、日本の茶人に珍重され、愛され続けてきた茶碗である。井戸には大井戸、小（古）井戸、青井戸、小貫入（こかんにゅう）の四種類があり、この「十文字」は大井戸に入る。

「十文字」の名称は、元々大きかったこの茶碗を織部が大き過ぎるからといって、十文字形に四つに割り、切り口を削って漆で修復し、今のサイズにしたからである。カラフルに見える箇所は直した部分で、赤漆を塗って繕っていて、繕った各部分は歪みが出ているが、これも織部好みだったのかもしれない。釉薬は柔らかで、全体的に枇杷色の上がりだが、一部に「吹墨（ふきずみ）」と呼ばれる炭素が釉に溶け込んだ黒い箇所がある。

さすが、織部は利休の衣鉢（いはつ）を継ぐ茶人である。ここまで大胆に茶碗のサイズを変え、本来のよさは残したまま、新しいまったく別の茶碗をつくったのだから。革新者の系譜に恥じない。

さて、私の好きな大井戸に「筒井筒」というお茶碗がある。重文指定で個人蔵だが、逸話の残る茶碗で、その逸話とはこんな内容だ。

秀吉が井戸茶碗を大層好きなことを知った大和郡山（やまとこおりやま）の大名、筒井順慶が一五八四年に秀吉にこの茶碗を献上し、秀吉は愛蔵していた。が、ある茶会で秀吉の近習が過って落とし、五つに割ってしまった。秀吉は烈火の如く怒り、その者を手打ちにしようとしたが、同席していた細川幽斎が機転を利かせて、「筒井筒　五つにわれし　井戸茶碗　咎（とが）をば我に　負いにけらしな（五つに割れた井戸茶碗の責めを私に負わさないでください）」と、『伊勢物語』内の有名な歌、「筒井つの　井筒にかけし　まろがたけ　過ぎにけらしな　妹（いも）見ざるまに」を基にした即興の狂歌を詠んだところ、秀吉にいたく喜ばれ、助命となったという。

割れた茶碗の割れ方がある意味よかった、という理由でそれを継ぎ、その大繕いが銘を表して、今日まで伝えられてきている逸品である。私は数年前に金沢の展覧会で見ているが、手に入るなら（入らないが）、この命が尽きる前にどうしても一服いただきたい茶碗の一つだ。

「十文字」は三井記念美術館蔵で、昔大振りだったことを想像させる、力強い感じのする茶碗である。やはりその時代の目利きが、削ってでも直してでも残すべきものとして珍重

大井戸茶碗 銘「須弥」
三井記念美術館蔵

し、今に至っているものには何かある。先にも書いたが、ただ割れたから継いだ、というものでは決してない。

井戸茶碗は朝鮮半島伝来のもので、しかも一六世紀のよいものだけしか残っていない。小振りなものの多い小井戸や青井戸に比べて、豪快な大井戸は秀吉を始め、大名らに愛された茶碗で、細川・津島・毛利・有楽井戸など大名の名を銘として付けられたものも多く、大名が戦の最中に陣に戻って、大井戸でがぶっと濃茶を飲んで気分を高め、また戦いに出る。そんな野趣も感じる。のちの志野焼などの和物茶碗になると、奥高麗（おくごうらい）（唐津）などの朝鮮系の窯以外の茶碗は、どことなく日本的で優しい雰囲気のものが多いように思う。

青山二郎のような数寄者になると、自分で状態を悪くして、色を落としたり金継ぎをしていたと聞く。茶道具にも切ったり削ったりして、寸法修正をしたものがあるが、織部があまりにも大胆にそれをした茶碗が現在まで受け継がれてきていることに、私は日本人の美への奥深さを感じる。

いろいろな「継ぎ」の技法

「継ぎ」は日本の非常に大事な文化である。物を長持ちさせることと、元々の茶碗にはない新しい景色が得られる効果がある。数寄者の中には、うるさ過ぎる金継ぎは取ってしまって、地と同色の「共直し」をする人がある。茶碗の地肌に合わせて継ぎをして、色を塗り、修復痕が目立たなくする技であるが、もちろん金継ぎの部分も残したり、その代わりに銀継ぎや、この「十文字」のように赤漆にする時もある。そこには美的センス、侘びのセンスが大いに要求されるが、継ぎに神経を注いでいることは十分お分かりいただけるだろう。

うるさい金継ぎを取ったり、銀に替えたりするのは、掛軸で前の持ち主の表具が気に食わなくて、自分流にやりかえるのと同じ思想である。掛軸も手を加えようと思えば、中回し、上下の裂、果ては軸先や箱まで変えようがあるように、茶碗も茶碗自体だけでなく、新しい箱書を誰かに頼んだり、追銘（新しい銘を付ける）をしたり、仕覆を変えたりする楽しみもある。

釉のかかり方を見る

大井戸茶碗「十文字」は粘土を練って轆轤で成形し、焼いた陶器である。信楽焼・備前焼・美濃焼などは陶器で、素朴で複雑な表面、柔らかな上がりを味わう。磁器は陶石を砕いた石粉からつくられる光を通す硬質な焼物で、焼成温度も陶器より一〇〇度ほど高い。鍋島、柿右衛門や伊万里が磁器の代表である。磁器の場合、発色がいいか、鮮やかさはどうか、といったことが鑑賞のポイントになる。

井戸茶碗には自然釉がかかっている。釉薬をかけて意図的な模様をつくり出すのと違って、自然釉は千変万化の偶然の作用を楽しむ喜びがある。簡単に説明すると、窯の中の温度が上がると、土の中の鉄分が融け始め、作品の表面がベタベタとしてくる。そこに薪の灰が付着し、さらに温度が上がることで、その灰が融けて釉として表れるのである。

釉薬は保護用としてかける場合もある。茶碗などは柄杓でバシャッとかけるので、厚くなったり薄くなったりする部分があり、均一ではない。常滑の釉のようにだらーっと垂れて、最後のところがガラス化してだまになっているのもあるし、織部のようにデザイン性を追求した、色を分けての釉がけもある。

焼物は器形ばかりではなく、釉のかかり方を楽しむ。特に茶碗の場合、ここは厚くとか薄くとか、高台は釉薬をかけずに「土見せ」がよいとか、却って釉がかかっていないところが景色としていい、というように。お茶の世界では概ね単純でないものが好まれるが、「景色」を考えると自然の作用ほど複雑なものはないのと、温かい抹茶との相性もあって（磁器は熱伝導が強く、熱くなってしまう）、茶人が陶器を愛してきたのもよく分かる。

そういった点から考えると、長次郎のあの真っ黒な茶碗は本当に異様なのである。時が経れば、見込（茶碗の底の丸い部分）に茶筅の跡が残ったりしているが、今出来の黒茶碗を見れば分かるように、長次郎もつくられた当時は漆黒だったはずなのだ。

このことでも、利休が行ったことの革新性がどれほどのものか、多少は想像がつくのではないだろうか。

味がある、味がない

私たちは「味がある」という言い方もよくする。そのことばを詳しく説明してみろ、といわれたら、なかなか意を尽くせない感じがあるが、釉のかかり具合や肌の具合、長年使用されてできた擦れや汚れや、直しの具合が「好ましい」ということなのだろうが、どうも上手く説明できない。

味がある、ない、という話ならば、私が若い頃、次のようなエピソードを聞いたことがある。

ある時、老舗の骨董店に若い新入社員が雇われた。彼は番頭さんに店の掃除を命じられたので、一生懸命に掃き掃除、拭き掃除をし、店の玄関から二階に上がる階段の真鍮の手すりまで、ピカピカに磨き上げた。完璧にやり遂げて満足した新入社員が、これでどうだと番頭さんのチェックを受けると、番頭さんは細かく見て回った後、最後に階段の手すりを見た瞬間、声を荒げた。

「おい、一体これは何だ！　こんなにピカピカにしやがって！　味がなくなっちゃったじゃないか！」

番頭がいいたかったのは、「汚いと思われない程度に、長年の使用感が残っているのを感じられるように拭け」、ということである。茶碗も古くて汚いのと、古くて味のあるものとは明らかに違う。古くて味のあるものを見続けていると、ただ汚いものや、味があるように見せかけるために、わざと汚くしたものと、本物の味があるものとが見分けられるようになる。

ただ、この感覚は外国人にはやはり通じにくい。いつだったか、茶陶の展覧会に外国人顧客を連れて行った時、そこに出展されていた金継ぎのある某大名品高麗茶碗を観た後、私に「この茶碗は大体いくらぐらいするのか？」と聞くので、「まあ億は下らないのでは？」と答えると、彼は即座に"Why is this broken tea bowl so expensive ?"と聞いてきた。「こんな壊れた茶碗が、どうしてそんなに高いのか」というわけである。彼らの目からすれば、そうとしか見えないのかもしれない。

しかしこの感覚は何も外国人だけがもっているわけではなくて、ニューヨークにまだ住んでいた頃、日本出張の帰りの飛行機の中で、某現代美術家と通路を挟んで席が隣り合った。お互い挨拶を交わしてアート界の四方山話をしていたのだが、どうもその頃古美術の収集を始めたらしい彼が、最近自分が買った桃山時代の茶碗の話になった時、私におもむろにこういった。

「山口さん、いやあ、茶碗ってたっかいねぇ……ぶち割れなのに、一千万もするんだからね」

私はその茶碗を観たことがなかったが、

「いやいや、桃山のそういう茶碗なら、割れて直ってても一千万ぐらいするものはありますから、高くないですよ。あなたの作品なんて、桁が違うじゃないですか！」

確かに私の友人でも、口の欠けた茶碗や手のもげた仏像に、何百万、何千万も出す人の気が知れない、といっていた人がいる。私自身は、何千万円もする高級車に乗る人の気が知れないが……。

話を戻して最後に、前に述べたように、「箱書」も日本独特なもので、「十文字」のような名品になると、幾代かにわたって数寄者のもとをたどってきたので（データ欄の「来歴」の箇所参照）、過去の持ち主それぞれの箱や箱書が残っていることも多い。こういうことも、海外の人にはなかなか通じにくいところである。

注意したいのは箱書の偽物、箱と中身がすり替わっていたりするものが、世の中にはたくさんあるということだ。そういうものを摑（つか）まされないためには、やはり老舗・一流の茶道具店・古美術店を訪ね、勉強させてもらいながら買うことだと思う。

どこが正面か

茶碗は三六〇度、どこから見ても鑑賞できるが、やはり〝正面〟とも呼ぶべきものがあって、特にお茶席では客に「正面を向けて」出さねばならない。それと分かる印的なものがある茶碗もあるが、たいていは亭主がこれぞと思うところを客に向けて出す。その選択した面が悪いと、茶碗の何たるかを知らない亭主として、評価がダダ下がることになる。お茶の席にはこういった怖いことが多々ある。

プロが撮った茶碗の写真は、その正面から撮っていると思って間違いない。展覧会で三六〇度の方角から見られるようにしてあるケースでは、カードが貼られた方が正面ということになる。時間をかけて注意してみていれば、「この茶碗の正面はここだな」とだんだん分かってくるようになると思う。

◎喜多川歌麿「婦人相學十躰（そうがくじったい）　ポペンを吹く娘」
作者名＝喜多川歌麿（一七五三頃?～一八〇六）
主題＝美人町娘を、人相から一〇のタイプに分けて表現したブロマイド的版画

構図＝大首絵（おおくびえ）
マテリアル＝紙・多色摺木版画・雲母摺（きらずり）
体裁＝大判錦絵
サイズ＝三八・七×二五・九センチ（ホノルル本）
制作年＝一七九二〜一七九三年頃
サイン＝相見　歌麿画・極印・版元印（蔦屋（つたや））
状態＝作品による
エディション数＝初摺は二〇〇枚程度といわれる
所蔵先＝ホノルル美術館（ハワイ）他

版画には木版、銅版、石版、シルクスクリーンなどの種類があり、銅版にはエッチングとエングレーヴィングがある。エッチングは全体に防錆加工をしておき、不要なものを溶かして必要な線だけを残すものである。エングレーヴィングは彫ったところにインクを入れて、それで紙に摺るものである。

歌麿の「ポペン」は木版画で、必要な線や面だけを彫り残して、そこが凸になるので印刷ができる、いわゆる凸版印刷だ。シルクスクリーンは孔版といわれるように絹の孔を通過したものだけがインクで彩色される技法である。リトグラフは石版画といわれる種類のもので、水と油の反作用を利用するが、今はアルミ板を使っていることが多い。描いたままを再現できる技法である。

この版画は大判錦絵という種類で、大きなサイズの紙に、錦のように多くの綺麗な色で摺った絵、という意味である。鈴木春信という美人画絵師が、明和年間にこの錦絵を始めるまでは、墨の単色摺の墨摺絵、そして墨摺絵に彩色で丹色（にいろ）をつけた丹絵（たんえ）、墨と紅、緑などで摺った紅摺絵（べにずりえ）だけだったので、次第に技術が向上したというわけである。

大判とは大奉書（おおぼうしょ）という紙のサイズの縦二つ切りのこと。縦三九センチ×横二六・五センチ。中判は大判の横二つ切り、小判は大奉書の八分の一のサイズをいう。細判は小奉書の縦三つ切りで、縦三三センチ×横一五センチ、他にも短冊や柱絵のサイズもある。

この歌麿や写楽を売り出した版元、今でいう出版界の大スター・プロデューサーが蔦屋重三郎（じゅうざぶろう）（ちなみにレンタルDVDや書店で有名なTSUTAYAは、ここから付けられている）で、彼は「雲母摺」「大首絵」という浮世絵の新スタイルを打ち出した。

キラキラと輝く雲母（うんも）を含んだ絵具を背景に塗ると、摺られた人物が浮き立って見える。雲母には濃灰色のメタリックなものから、白雲母、紅雲母と呼ばれるピンクっぽいものまである。雲母摺の場合、美人や歌舞伎役者等の人物画に使用することが多いので、基本的

婦人相學十躰　ポペンを吹く娘
喜多川歌麿筆　ホノルル美術館蔵
Honolulu Museum of Art, Gift of James A.Michener, 1991（21876）

に背景は入れず、写楽（しゃらく）の描く雲母摺役者絵にも背景は描かれていない。

また、この歌麿の「ポペン」も含まれる「大首絵」とは、人物の全身を描かずに上半身のクローズ・アップだけを描くもので、写楽の第一期の役者絵を思い浮かべてもらうと分かりやすい。この「大首絵」は役者絵・美人画ともに今でも最も人気のある構図で、価値も高い。ちなみに写楽の役者絵で背景があるのは、細判だけである。

この「ポペンを吹く娘」は、今のわれわれから見ると、美人どころか何とも特色のない顔に見えるが、これが当時の美人の典型だったのだろう。先述した春信の描いた美人は、長身ですらっとした八等身、小顔の、それもボーイッシュな感じの女性が多いが、幕末の英泉、英山の描いた美人となると、顔が大きくてちょっと品のない、スタイルもボテっとして三等身になり、デカダンというかエロの方向へと近づいていく。

歌麿がつくった美人画は、江戸一〇〇万人に向けて、グラビアアイドルのブロマイドを届けたようなもので、現代でいえばマンガ家の江口寿史とか池永康晟（やすなり）が、ある決まった雰囲気の女性を描き続けるのと、同じといえば同じなのである。美人の定義は時代によって変わっていくが、時代が求めるものと作家が描きたいものがシンクロした時、それは美人画として成立するのだ。

それにしても、浮世絵はリアリズムからは、かなり遠いところにいる、と知っておいた方がいい。浮世絵師の中で事物を一番リアルに描いたのは北斎だと思うが、彼まで待たないと浮世絵に写実性は現れてこない。

傑作「歌満くら」

歌麿は北斎（風景画）、写楽（役者絵）と並び称される三大浮世絵師の一人で、美人画の大家である。美人画といえば歌麿以前には錦絵の創始者の鈴木春信、そして鳥居清長がいるが、歌麿がナンバーワンといってよいほどの実力者で、海外でも大変人気があり、知名度も高い。

その歌麿の人気の秘密の一つに、「枕絵」と呼ばれる春画がある。彼には「歌満くら」という大傑作の版本があるのだが、その一〇枚目の絵を見ると、向かい合って横たわった男女が夏の部屋にいて、背を見せる女がはだけた脚を男の体に絡めて、キス（当時は口吸いといった）をしているシーンが描かれている。観る者に背を向けている女の顔は完全に見えず、こちらを向いている男の顔もその女の顔にかぶさるように描かれているので、顔の左側の端が見えているに過ぎない。が、その少しだけ見えている小さな目は何と見開かれていて、剃刀のように冷徹で鋭く、しっかりと女を見つめているのである。私はこの作品を初めて観た時、情事の最中のその「あるある」的リアルさに、鳥肌が立つほど驚かされたのだった。

ここから歌麿という絵師の、抜け目なさが分かる。男の左顎にそっと添えた女の指、女の右肩に置かれている男の小さめの指にも細かい表情があり、何ともいえないエロスを感じさせる。よく歌麿の手は小さ過ぎで、写楽は大き過ぎる（有名な「三世大谷鬼次の奴江戸兵衛」を見よ）といわれるが、確かにそうだと思う。

また着物の柄の丹念な描き方も見どころで、女のそれは粗い感じの模様、男のは幾何学的な組み合わせ模様に霞のように透けた夏の薄衣を、うまく取り合わせて描いている。

構図も無難な感じだが、背景は縦横垂直線を用いていて簡潔な感じがある。例えば左端の簾が下までおりているところ、縁側の向こうの樹の葉も何となく取ってつけたようなところなど、やはり歌麿は人を描く絵師なのだと再認識させられる。

江戸時代は性的な意味では開放的で、「枕絵」も嫁入り前の娘が見て、前知識を得たり、嫁入り道具として持たされたりしたともいわれ、夜夫婦で誇張された性器描写を笑いながら楽しんだらしい。何かそういう大らかな感じが、近代日本では「R18」的に捉えられ、われわれの目の届かないところに追いやられていたが、絵や添えられた狂歌の諧謔性（かいぎゃくせい）などの評価が近年特に外国で高まり、日本でもようやく数年前に永青（えいせい）文庫での展覧会が実現したのも記憶に新しい。

私は父に反発して日本美術から遠ざかった人間だが、高校生の頃、そういえば父の書斎には春画の本があるだろうと見当をつけて侵入した。が、画集は見つからなくて、あったのは小さなスライドの写真であったが、そのスライドを光に当てて観て、興奮した若き日々を思い出す。

この「歌満くら」第一〇図は、実は私が周囲の反対を押し切って、クリスティーズの日本美術セールのカタログのカバーに史上初めて春画を使った時の作品なのだが、歌麿の素晴らしい絵と構想、木版画の技法を駆使した最高傑作だけあって、その時の落札価格も一冊で約四千万円とお高い。また、この図柄一枚でも初摺で摺りがいいと（馬棟（バレン）で摺るので、後摺になればなるほど木版の凸部が擦り減り、墨線のシャープさがなくなっていく）、八〇〇万円ぐらいするものもある。

さてポペン、昔はポッピンとかビードロと呼ばれていたが、吹くとそういう音がするガラス製のもので、当時玩具として、また魔除けとして流行ったもので、この絵の娘もポペンを鳴らして遊んでいる。この「ポペンを吹く娘」は「婦人相學十躰」という、素人女性を人相・手相で一〇種類に分け、その各々のシチュエーションや姿態を描いたシリーズの一つである。

しかし実際は五種類しか現存しておらず、何らかの理由で途中で出版中止になったのかもしれない。雲母摺に大首絵で描かれたその五種とは、「面白キ相」（お歯黒の付き具合を鏡で確認する）、「浮気之相」（後述）、「団扇を持つ娘」（団扇を逆さに持って回して遊ぶ）、「指折り数える女」（指を折って何かを数える）、そしてこの「ポペン」で、各々遊女や花魁ではない町娘の、それらしい雰囲気がかもし出されている名作だ。その中の一つ「浮気之相」は、女が手拭いで手を拭いており、浴衣姿の左肩と乳房が露わになっているので、湯上がりの体だと思うが、女は右側の画面外にいる誰か（当然男だろう）に視線を送っている。そういう婀娜な感じで、多情という意味での「浮気」を見事に表している。

「ポペンを吹く娘」は、町の有名な美人が娘島田という結い方の髪型をして、市松模様の着物を着ているところである。当時の町の最先端ファッションを表現しているといっていい。こういう絵を庶民は絵草紙屋に行って購い、壁に貼ったり掛軸にして楽しんだりして、自分のファッションの参考にもしたようだ。今でいう「読者モデルの街角ファッション・ウォッチ」のようなものだろう。

サイズが小さくなる

浮世絵版画を観る場合のポイントは摺りのよさはもちろん、色の残り、それに保存状態のよし悪し、それとシートの大きさがある。今われわれが観ている幕末以前の浮世絵版画のほとんどは、摺られた時に比べてサイズがかなり小さくなっている。浮世絵には大概マージン（余白）があって、例えばそこにシミができると、そこをカットしてしまうので、寸が短くなってしまう。持ち主が切ってしまうこともあれば、売り主がそうしてしまう場合もある。オリジナルのマージンがどこまで残っているかは、作品的にも価格的にも評価の大きなポイントだ。

屏風絵でも同じことがいえて、虫食いや汚れ、水濡れ等が屏風の端やオゼにできると、表具を外してその部分を切り落とし、また表具をする。時折屏風を見ている時に、オゼを挟んだ左右の絵がきちんと連続していないのを見つけることがあるが、それはこういった理由からなのである。

また浮世絵にはエディション数はないが、ピカソ、ウォーホルでも、普通版画にはナンバーが振られている。一〇／五〇とあれば、五〇部摺った中での一〇番目のものだ、ということ。日本の版画でも近代になってからは、渡邊版画店（現・渡邊木版美術画舗）から出版した伊東深水や川瀬巴水（はすい）らが、そういうエディションのハンコを押した作品を出している。

またピカソの「泣く女」は、絵画の他に銅版画もあって、それは限定一五部。この作品は彼と当時親密だった女性写真家ドラ・マールを描いたもので、二〇一一年にそのうちの一点がクリスティーズで約四億円で売れている。ピカソ版「大首絵」とも呼びたくなる、素晴らしい状態の名品で、私もこのオークションを覚えている。

ちなみに摺りのナンバーが若い方がいいということはない。画家が修正を入れて、後の番号の方がいいものに近づいている可能性もあるからである。もちろんその反対の可能性もあるわけだが。それと、たまにエディション・ナンバーの代わりに「A.P.」という文字が書かれているのを見かけるが、これは"Artist's Proof"の略で、正式な発行数以外に作家の予備として摺られた作品をいう。また、一枚しか摺りがない場合は、「ユニークプリント」という。

◎アンディ・ウォーホル「Marilyn: One plate」

作家名＝アンディ・ウォーホル（一九二八〜一九八七年）
主題＝マリリン・モンロー
構図＝ポートレイト
マテリアル＝カラー・シルクスクリーン
サイズ＝九一・四×九一・四センチ
制作年＝一九六七年

Marilyn: One plate
アンディ・ウォーホル
91.4×91.4　アンディ・ウォーホル美術財団蔵

サイン＝あり。イニシャルの場合も
エディション数＝二五〇（その他A．P．が二六）
所蔵先＝各所

先にも書いたように、ウォーホルは私が若い頃に大好きになった画家の一人で、中でもこのマリリンやエルビスのようなポップな「コピー」に惹かれた。原色を使って、セレブの顔に勝手に色を付け、そして色を次々と変えて同じ対象を弄り回し、いくらでも生産・制作していく。アートってこれでいいのか？　という驚きと、新しい！　という感動が私の中で混じり合い、それ自体がおもしろいと思ったものだ。

セレブがそのポピュラリティでアートの対象になりえるとしたら、キャンベル・スープやブリロの食器洗いパッドも、アメリカらしいポピュラーなものとしてその対象に選択される。そこからジェフ・クーンズのラビットや村上隆のドラえもんへは、それほどの距離はないだろう。

本作「Marilyn: One plate」には、二五〇部のエディションと、アーティスト・プルーフがある。ウォーホルは当時、三万ドル払えば誰にでもポートレイトをつくったらしいが、後に同じ手法で日本のラッツ＆スターや坂本龍一、日動画廊副社長の長谷川智恵子氏らのポートレイト・シルクスクリーンも制作している。ベラスケスも肖像画を描いて生きていたのだから、どんな画家も自作品に対しての報酬をどこからか貰うのは当然だが、いかにもコマーシャル・アートっぽいやり方ではある。

よく複製時代の作品には「アウラ（オーラ）」が消えうせるといわれるが、ウォーホルはそのコンセプト自体を新しく生み出したわけだから、そのアウラは消えない。が、作品のアウラもさることながら、ウォーホル本人の人間的アウラの方が、作品よりも何倍も強いと私は思っている。それが理由で、あれだけ色のヴァリエーションがあって、しかも二五〇部もエディションのある版画でも、一千万円前後の高値で売れるのだ。

画家本人が注目される

芸術家そのものが表に出てきて、その存在感をアピールするというのは、ウォーホルが初めてといってもいいのではないかと思う。ニューヨークのディスコ・スタジオ54、ヴェルヴェット・アンダーグラウンドの音楽、ファクトリー、映画制作……アンダーグラウンドのカリスマになった彼が、ただのオジサンだったらどうだっただろう、と考える。一度見たら忘れられない白髪（ウィッグ）、アヴァンギャルドで、パンクっぽく尖がっている感じがあったから、私たちも納得するところがあったのではないだろうか。

先に印象派の画家のサロン的な集まりについて触れたが、ウォーホルの周りにもさまざまなジャンルのアーティストが集まってきて、皆で緩やかなスクラムを組み、自分たちの新しいアートを推進させている感じがある。私はそういうムーブメントが大好きなのだ。

私がウォーホルで覚えているのは、TDKビデオテープのコマーシャルである。一九八三年に流れたもので、私が二〇歳の時。ウォーホルが手にカラー・バーの出たテレビを持って「アカ、ミドリ、アオ、グンジョーイロ……キレイ」とことばを発するのである。キャッチコピーは「イマ人を刺激する。」。「イマ人＝Imagine」の洒落が懐かしいが、よく出演したものだと思う。

彼自身がメディアだったといっていい。そして、プロデューサー的な役割を果たしてもいて、近頃東京の展覧会で約二〇万人の観客を集めたバスキアの面倒をみたり、一緒にコラボもしているほど、強い結びつきがあった。そのバスキアを世に押し出すのに、ウォーホルは一役も二役も買ったのである。

コロナ騒ぎで開館が遅れていた京都市京セラ美術館の開館記念展は「杉本博司　瑠璃の浄土」展だが、その後にピッツバーグのウォーホル美術館所蔵品による「アンディ・ウォーホル・キョウト展」が開催される予定だ（現在調整中）。ウォーホル美術館の作品だけでもよろしいが、せっかく日本でやるならば、シルクスクリーン作品の内、日本人がモデルになった作品だけを集めて一部屋に展示し、モデルとなったご本人たちを呼んで、ウォーホルについてトークでもしたらおもしろいと思うのだが、いかがだろう。

鑑賞力を高める50のリスト

1 東京国立博物館……東京都台東区上野公園13-9
2 国立西洋美術館……東京都台東区上野公園7-7
3 京都国立博物館……京都府京都市東山区茶屋町527

この三館に関しては、とにかく常設展を観に行くことをお勧めしたい。企画展のほかに、常設展を観るというのもアートへの日常的かつ重要な接し方の一つである。この三館の常設はさすが国立館なだけに、各分野の基準作の充実度が他館とは違うので、ぜひ足を運んでほしい。

トーハク（東京国立博物館）の企画展はいつも込んでいて大変である。それに引き換え常設展は空いていて、国宝、重要文化財など本当にいい作品が観られる。展示品はローテーションで変わるので、クオリティの高い作品は一度ならず何度でもご覧になるとよろしいと思う。ここには東洋のもの、つまり中国、韓国、日本、東南アジアの品が揃っている。重文指定の重厚な本館は渡辺仁設計だが、片山東熊設計の表慶館、谷口吉郎設計の東洋館、そして平成一一年（一九九九）、谷口吉生（よしお）の設計になる法隆寺宝物館も美しく、必見。

セイビ（国立西洋美術館）は、ロダンなど松方コレクションを中心とする中身はもちろんだが、ル・コルビュジェによる建築をまず観てほしい。本館は日本で唯一のコルビュジェ建築であり、世界文化遺産の指定を受けている。美術館に行ったら、中身は当然にしても、その外観、建築を観るのも楽しみの一つである。

キョーハク（京都国立博物館）は、京都という土地柄、近畿地方の社寺から寄託されている仏教美術や絵画の名品がかなりある。平成知新館はやはり谷口吉生の設計になる（本館は片山東熊〔とうくま〕の設計）。キョーハクの独自企画展は、ある意味トーハクをライバル視したものも多く、東西国立博物館の企画勝負からも目が離せない。

4 奈良国立博物館 奈良県奈良市登大路町50

ナラハクは、トーハク、キョーハクと肩を並べる国立博物館だが、日本における仏教美術の聖地といっていい。仏像、仏画を観に行くにはここ、という感じである。周りの社寺とともに楽しむのがお勧め。

5 九州国立博物館 福岡県太宰府市石坂4-7-2

キューハクは国立博物館の中では一番新しく、九州という立地から東アジア関連の美術品、また交易、貿易、異文化の流入をテーマにした東西文化交流系の美術品に強い。館のコンセプトは「日本文化の形成をアジア史的観点から捉える」。南蛮屏風を多数もつなどの特性がある。隣接の太宰府天満宮もお参りしたい。

6 東京国立近代美術館（MOMAT）……東京都千代田区北の丸公園3－1

キンビは、日本近代美術では最高のコレクションを誇る美術館である。ここも常設展が素晴らしいので、たまに訪れてもらいたいが、ジブリの高畑勲やフランシス・ベーコン、琳派展、古美術を現代視点から見た特別展や、外国作家を含めた企画展もおもしろい。二〇二〇年夏に金沢に移転し、「国立工芸館」となる別館旧工芸館の建物は、旧近衛師団司令部庁舎で、陶芸、漆などの工芸品が観られた……東京で見られなくなるのは、無念。

7 東京都現代美術館（MOT）……東京都江東区三好4－1－1

公的な現代美術館としては東京ではここトゲンビだけで、大阪には国際美術館（国立）がある。いろいろ物議をかもす美術館（会田誠氏の件は本文参照）だが、西洋と日本の戦後から現代までのアート・ラインナップはかなり素晴らしい。

本館は開館時に、リキテンスタインの「ヘア・リボンの少女」を六億円で購入し、こんなマンガのようなモノにそんなに都民の税金を使うのか、とさんざん言われたが、紛うことなき名作であり、今では三〇億円は下らないだろう。

思い出すのは、小泉明郎（めいろう）氏の「空気」という一連の作品がトゲンビの「キセイノセイキ」

展で出品を認められず、すぐ近くの画廊「無人島プロダクション」で展示され、「規制」「検閲」についてのシンポジウムが開催されたことである。私は小泉氏の「いかにも規制の掛かりそうな」、しかし大変素晴らしい作品を購入したのだが、これも勉強である。

8 東京都写真美術館（TOPM）　東京都目黒区三田1-13-3

写真専門の美術館。洋の東西を問わず集められているが、日本の写真家で重点的に集められているのは、私も大好きな奈良原一高（ならはらいっこう）や植田正治（しょうじ）など一七名（ちなみに土門拳は入っていない）。

版画と同じように写真にはエディションがあるものが多いが、すでにインターナショナル・マーケットはできていて、アンセル・アダムス、リチャード・アヴェドン、アーヴィング・ペンあたりになると、数千万円から億の値段が付く。最近のアート・マーケットでは、日本の戦後写真家、例えば荒木経惟（のぶよし）、森山大道（だいどう）も人気があり、杉本博司も高い値が付くが、彼の作品は写真作品ではあるが、現代アートのコンテクストにも乗るアートなので、両方のマーケットで評価されている。

9 町田市立国際版画美術館　東京都町田市原町田4-28-1

日本の版画に限らず世界の版画を集めている美術館で、日本のものは奈良時代の「百万塔陀羅尼」や平安時代の印仏から、浮世絵や横尾忠則まで、外国作品ではデューラー、レンブラントから印象派やリキテンスタインまで幅広く所蔵している。

印仏とは仏像図像を木版に彫って捺印し、たくさんの仏の像を表したものである。それを仏像の体内に納めると功徳があるとされた。法隆寺の百万塔に納められた「陀羅尼経」という小さなお経も、印刷物である。「版」に関わる美術品の宝庫として訪れたい。

10 十和田市現代美術館

青森県十和田市西二番町10-9

一部の展示室は外部から作品を観られる変わった構造になっているので、美術館それ自体がパブリック・アートのようだ。屋外にある椿昇のハキリアリの彫刻（「アッタ」、高さ六メートル超）や、草間彌生の「愛はとこしえ」などの巨大作品群を含む、コミッション（依頼）制作の恒久設置作品三八点も見もの。交通の便がいまいちよくないが、町おこしも兼ねてなされているので、地域との一体感みたいなものがある。建築は西沢立衛氏による設計で、雪の中にぽっかりと建っている写真を見たことがあるが、やはり環境と生きていくパブリック・アート的美術館として愛したい。

11 金沢21世紀美術館

石川県金沢市広坂1-2-1

現代アートの美術館としては驚異の入館者数、約二五八万人（二〇一八年）を誇る。近隣商店街と連携した企画「アート de まちあるき」では、入場券の半券や美術館のロゴの入ったコースターを持参すると、購入品が割引になる。そういう町おこし的な要素や、子供のアートへの関心を呼び起こしたことなどが、大成功の要因だろう。

蓑豊氏（初代館長、現・兵庫県立美術館長）はアメリカでの美術館経験が長く、日本の美術館に足りないものを多く導入したことの功績が大である。よく地方の美術館というと、まったくアートの分からない行政の人間が館長になったりするが、蓑氏の場合、市の助役でもあったことで、美術館行政の推進力が最大限発揮され、この日本を代表する現代美術館が生まれたといっても過言ではない。この美術館は現代美術をもっと身近にしてくれる。

12 豊田市美術館　愛知県豊田市小坂本町8-5-1

こちらも現代美術の美術館。二〇〇四年開館の金沢21世紀美術館に遡ること九年の、一九九五年に開館。地方で現代アートをメインにやる美術館はそれまでなかったので、ここは非常に挑戦的でセンスのよい作品が多い。

建築は谷口吉生氏で、これからの美術館には建築家が重要な役割を担っていく、ということを予感させる魁であった。地方の美術館では、現代アートよりもっと親しみやすい、日本画や印象派などの分野がよいのではないか、という意見もあるが、最終的にはやはり作品ラインナップと、企画・イヴェントなどの実際の取り組みが重要である。また、他の美術館との差別化を図る必要もある。

名古屋はコンテンポラリー・アートの画廊は多いが、現代美術館はなかったので、愛知県の既存の美術館との差異化を目指して生まれた美術館である。外国から来た人でも、ちょっと行ってみたいと思う、さすがトヨタの街の先進的な美術館だ。

13 大阪市立東洋陶磁美術館

大阪府大阪市北区中之島1-1-26

住友グループが大阪市に寄贈した、東洋の陶磁器を中心とした「安宅コレクション」を収蔵した美術館である。所蔵品は中国・韓国・日本の名品焼物群で、中でも朝鮮陶磁器の数と質は日本一。韓国・中国陶磁器の「日本人好み」を学べる最高の美術館だ。

14 リボーンアート・フェスティバル

宮城県の牡鹿半島と石巻市を中心に開催される、屋外芸術祭。東日本大震災の復興が根底にあって、「アート」「音楽」「食」が複合的に展開されるものだが、私もまだ行けていないので、次回ぜひ行きたいと思っている。ミスター・チルドレンのプロデューサーだった小林武史氏が実行委員長を務め、ワタリウム美術館の和多利恵津子・浩一氏らが協力、二〇一七年に第一回が開催、以後二年置きに行われている。

15 横浜トリエンナーレ

現代アートが中心の老舗の芸術祭で、二〇〇一年開始。毎年でなく三年に一回開かれるのは、資金の問題もあると思うが、やはり出品作のレベルを保つという意味合いが大きいのではないだろうか。ここは東京から近いこともあって、アクセスしやすい芸術祭でもある。横浜美術館や横浜赤レンガ倉庫などが会場になっている。

16 あいちトリエンナーレ

地方の芸術祭としては老舗の部類に入る。国内最大級の現代アートの催しものであり、参加する作家も作品も優れたものが多い。会場は県の美術館などが充てられているが、昨年の「検閲」騒動があったので、今年は誰が監督をするのかなど、前回の問題をどうリカバーしていくかに注目が集まる。この芸術祭の存続は、ある意味アートの存在理由と社会的存在価値に関わるので、非常に重要だと思う。

17 ベネッセアートサイト直島（地中・豊島美術館等）

香川県香川郡直島町

直島、犬島、豊島（てしま）という三つの島が連携して、芸術と地域とのウィン・ウィンな融合が展開される、ユニークな試みである。外国人アート・ファンもここを観るためだけに、日本に来る人がいるくらいだ。直島は、自然と芸術と建築が一つとなった場所で、いわばアートのオリエンテーリングができる聖域。特に地方でのアート・コンプレックスとしては、日本でも特筆すべき大成功例である。

安藤忠雄氏設計の「地中美術館」（モネ「睡蓮」がある）、安藤氏と現代美術家の李禹煥（リ・ウーファン）がコラボした「李禹煥美術館」、ベネッセハウス・ミュージアムといった必見の美術館があることも、牽引力の一つになっている。

ベネッセ（元・福武書店）の創業者の福武哲彦氏と元直島町長三宅親連（ちかつぐ）氏が始めたもので、福武氏は稀代のアート・コレクターであり、芸術祭を日本に根付かせようとアート支援活動を行っていた。作品を購入して展示するだけではなく、アーティストを招いて「直島にしかない作品」を制作してもらうという方針で行っているところも素晴らしい。

18 瀬戸内国際芸術祭

三年ごとに行われている芸術祭である。一二の島が連携し、春、夏、秋と開かれる。二〇一九年は一〇七日間開催している。ベネッセアートサイト直島と併せてスケジュールが組めたら、最高だろう。

19 サントリー美術館　東京都港区赤坂9-7-4 東京ミッドタウン ガレリア3F

国宝・重文を含む、東洋美術作品がほとんどだが、企画展もいいし、場所もいい。私が最近観た展覧会では「鳥獣戯画がやってきた!」(二〇〇七年)、「黄瀬戸・瀬戸黒・志野・織部——美濃の茶陶」(二〇一九年)展などが印象に残る。二〇二〇年七月にリニューアル・オープンした。

20 出光美術館

東京都千代田区丸の内3-1-1帝劇ビル9F

交通の便がよく、東洋美術の名品に溢れる美術館で、ルオーのコレクションももつ。皇居を眺めながらお茶が頂ける茶席があり、名品を観た後にホッコリできるのもうれしい。二〇二〇年九月には、昨年クリスティーズを通しての購入が発表された「プライス・コレクション」の里帰り展が、三会期にわたり行われる予定であり、それも楽しみだ(延期になった)。

美術館の大きさと鑑賞とは関連があって、あまりキャパが大きいと観終わってぐったり疲れてしまう。トーハクやパリのルーブル美術館、ニューヨークのメトロポリタン美術館などはちゃんと観ようと思ったら一日では無理だが、出光美術館規模であれば、観終わっても体力、気力が残っている感じがあるし、展示作品も大概が記憶に残るものだ。

21 根津美術館

東京都港区南青山6-5-1

サントリー、出光、根津というのは、東京で東洋美術を所蔵する私立美術館の〝三羽鳥〟とでもいうべき存在だ。コレクションの年代の古さからいくと、根津、出光、サントリーの順番になるだろうが、根津美術館は他の二館と比べると、お茶道具と仏教美術が多い。出光はお茶道具もあるが、根津ほどではないし、サントリーはより工芸寄りの美術館といえるかも知れない。

根津美術館が新しく建て替えられた時に、クリスティーズが多少のお手伝いをした経緯がある。二〇〇八年五月、クリスティーズ香港で同館所蔵の清朝時計一五点が落札され、総額約三七億円となった。所蔵品を外国の公開オークションに出して美術館改築の資金にした例は、小さい美術館を除いて、巷間よく知られたクラスでは根津と萬野(まんの)美術館(大阪市、閉館)そして藤田美術館(大阪市)くらいである。本文でも触れたが、美術館で死蔵している作品をオークションに出して、改築費や修復費、あるいは購入資金に充てる、といったことが増えると、館も観覧者もよりハッピーになると思うが。

22 太田記念美術館

東京都渋谷区神宮前1-10-10

原宿駅からすぐ近くで、ロケーションは最高。浮世絵(版画、肉筆画)に特化した、元東邦生命五代社長太田清蔵のコレクションを基にした専門美術館で、一万四千点の作品数を誇る。収蔵絵師は歌川広重、喜多川歌麿、東洲斎写楽、鈴木春信など、浮世絵の草創期から明治期までを網羅した、個人のコレクションとしては世界最大級の「浮世絵なら、ここ」な美術館だ。

23 菊池寛実(かんじつ)記念 智(とも)美術館 ……東京都港区虎ノ門4-1-35

近現代の陶磁器に特化した美術館である。菊池寛実は石炭で財をなした人で、智氏はそのご子息。ホテルオークラ前の坂をちょっと下におりたところにある美術館で、レストランの料理も美味しく、クラシックさと現代風の美しい融合が感じられる、優雅な美術館。

24 アーティゾン美術館（旧ブリヂストン美術館） ……東京都中央区京橋1-7-2

二〇二〇年一月にリニューアル・オープン。ここは印象派や日本の近代絵画が中心だったが、古美術、現代美術へと幅を広げつつあり、館名の変更とともに新しいイメージの創造を試みている。展示室も旧美術館の約二倍になり、場所が便利なことも含めて、東京には珍しい西洋美術の所蔵品が見られる、私立の美術館として貴重である。

25 森美術館 ……東京都港区六本木6-10-1 六本木ヒルズ森タワー53F

二〇二〇年、品川区の原美術館が閉館する（群馬県渋川市のハラミュージアムアークに吸収される）ので、東京の私立現代美術館といえば、ここが最重要となるのは必然。モリビは六本木ヒルズのコンプレックスビルにあり、日本で一番「高い場所」にある美術館である。

日本では昔からデパートや商業ビル、また企業の本社ビルなどの複合施設の中に入っている美術館が多いが、世界では珍しい気がする。そもそも日本ではデパートで美術展が開催されるが、外国ではありえないことだ。これからもエッジーな企画展を期待したい。

26 テラダ・アート・コンプレックス 東京都品川区東品川1-33-10

天王洲アイルにある寺田倉庫が運営する、倉庫を改造したギャラリー・ビルで、現在、現代美術の画廊が七軒入っている。おもしろいのは、ニューヨークのチェルシー地区などに倣い、全館一斉に新しい展覧会のオープニングを行うことだ。その日の夜に行くと、全画廊でレセプションをやっていて、誰でも入場できるし、ワインなどを一杯頂きながら、アートを楽しむことができる。カッティング・エッジの現代美術の画廊が多く入っているので、最も新しい、若い作家の作品に一度に触れることができる。

27 ピラミデビル 東京都港区六本木6-6-9

28 コンプレックス665 東京都港区六本木6-5-24

両方とも六本木に位置するギャラリー・ビル。ピラミデビルには五つのギャラリーが入り、フランスのメガ・コンテンポラリー・ギャラリーであるペロタン東京や、草間彌生を扱うオオタファインアーツ、ゲルハルト・リヒターを扱うワコウ・ワークス・オブ・アート、ロンドンギャラリーという日本の古美術の有力なギャラリーが入っている。

小さな通りを挟んで隣り合うコンプレックス665には、三つのギャラリーが入居している。ピラミデビルと比べればごく最近できた建物で、小山登美夫ギャラリー、シュウゴアーツ、タカ・イシイなどの有力現代美術ギャラリーが入っている。

この二つのアート・コンプレックスビルに行けば、まとめて古美術店、外国のメガギャラリーと日本の現代美術ギャラリーを見て回ることができる。

29 DIC川村記念美術館

千葉県佐倉市坂戸631

大日本インキ化学工業（DICの旧社名）二代社長川村勝巳の設立による。千葉県佐倉にあるのでアクセスが少々不便だが、駅から無料送迎バスも出ているし、豊かな自然の中でアートに没頭できるという利点もある。所蔵していたアメリカのバーネット・ニューマンの大名品「アンナの光」を約一〇三億円で売却したことは残念ではあるが、それでもレンブラント、印象派・近代美術から現代美術までのコレクション・ラインナップは素晴らしく、その中でも何といってもマーク・ロスコの「シーグラム壁画」と呼ばれる七点の大作絵画を一室に展示した、宗教的な雰囲気をも感じさせる通称「ロスコ・ルーム」は世界に自慢できるほど秀逸。

30 ハラミュージアムアーク……群馬県渋川市金井2855-1

原美術館(東京都品川区)が残念ながら二〇二〇年一二月に閉館になり、ここに統合される。とても風光明媚なところで、美術館の設計は磯崎新氏。当代の原俊夫氏は現代美術の大コレクターだが、曾祖父六郎氏は国宝級の東洋美術の収集家として著名で、その六郎氏の東洋美術コレクションも、館内の「観海庵(かんかいあん)」で観覧できる。隣接の「伊香保(いかほ)グリーン牧場」も心和む大好きな場所である。

31 セゾン現代美術館……長野県北佐久郡軽井沢町長倉芹ケ沢2140

軽井沢にある美術館で、環境も素晴らしい。西武美術館、セゾン美術館を経てきたという、日本における現代美術収集の先駆けとしての歴史を感じさせる美術館である。マン・レイから始まり、クレーやカンディンスキーなどの選りすぐられた近代美術、ポロックやロスコ、ウォーホル、イヴ・クラインやフォンタナなどの戦後現代美術まで素晴らしいラインナップで、かつて私が若い頃、西武美術館で「フォンタナ展」を見た時の衝撃を思い出させる。

32 江之浦測候所……神奈川県小田原市江之浦362-1

杉本博司氏の公益財団法人小田原文化財団が運営し、館のコンセプト、庭を含めた設計ディレクションはもちろん杉本氏である。ホームページで「子供の頃、旧東海道線を走る湘南電車から見た海景が、私の人としての最初の記憶」と杉本氏は述べているが、ここ小田原界隈が彼の作品の原点だということ、そして「測候所」とは「古代人のように天空を測って、自分の位置を知ることが芸術の始まりだ」という理由からの命名。私は氏とはニューヨーク時代からのお付き合いだが、クリスティーズの東京オフィスの内装デザインを杉本氏にやっていただいたご縁がある。

江之浦測候所は、別名〝石の博物館〟といわれるほど、さまざまな歴史的もしくは貴重な石を、特に庭園に使用している。敷地内の建築物と庭は、法隆寺の礎石や鎌倉時代の明月門など、古代から近代までの建築遺構を移築。その他にも「待庵（たいあん）（京都山崎の妙喜庵にある、利休が建てたと思われる茶室）」写しの茶室、能舞台も二つあり、一つは古代を感じさせる石舞台で、もう一つは現代的な光学レンズ素材の海にせり出した舞台で、実際にそこで新作能や音楽のパフォーマンスが行われる。杉本氏が世界的なアーティストであることも手伝って、ここも外国人からのアート愛好者が行きたがる施設の一つである。

33 箱根彫刻の森美術館

神奈川県足柄下郡箱根町二ノ平1121

アメリカ式の数少ない野外彫刻の美術館である。それは巨大彫刻を日本人、特にコレクターがあまり好まないということも関係しているのかもしれない。ピカソ館は陶芸作品一八八点を中心に構成され、ヘンリー・ムーアの彫刻も一〇点が展示されており、両作家のこれだけの作品を一度に見ることのできる場所は貴重で、天気の良い日のアート散策にも持って来いの場所だ。

34 ポーラ美術館……神奈川県足柄下郡箱根町仙石原小塚山1285

35 メナード美術館……愛知県小牧市小牧5-250

どちらも化粧品会社が母体の美術館で、化粧品と美は切っても切り離せない関係性があるのだと思う。ちなみに資生堂は銀座にギャラリーをもっている。ポーラもメナードも収蔵品は印象派と日本の近代絵画が中心だが、ポーラは中国陶磁器コレクション、そして銀座にポーラ・ミュージアム・アネックスをもち、現代美術へのアプローチもしている。その一方メナードでは日本の古美術も収蔵していて、たとえば光悦の「蓮下絵和歌巻断簡」や織部手鉢などの名品も拝見できる。

36 MOA（エムオーエー）美術館……静岡県熱海市桃山町26-2

世界救世教が母体の美術館である。熱海市街からの便もよいし、近未来的な建築、そして最近、杉本博司＋新素材研究所によってリノベートされたロビーエリアや展示スペースも美術品を引き立てる。所蔵品中、国宝では尾形光琳や野々村仁清（にんせい）、重要文化財では岩佐又兵衛の絵巻群などが見どころだが、離れ的にある「光琳屋敷」は、梅の季節にはうっとりとするほどの江戸情緒を感じさせる。

37 MIHO MUSEUM……滋賀県甲賀市信楽町田代桃谷300

仏教美術、茶道具や若冲を始めとする日本美術から世界の古代美術までと幅広い収集を誇る、神慈秀明会が母体の美術館。建物の設計は先頃亡くなった、ルーブル美術館ピラミッドなどを手がけた世界的な建築家、I・M・ペイによる。風光明媚なところで、無宗教な私でも〝気〟がいい感じがするが、宗教団体系の美術館が立地を選ぶ力はいつも凄いと思うのは私だけだろうか。ここでは春は美しい桜が楽しめるが、冬は山奥が故に雪で閉館になることもある点だけは気をつけたい。最近では有名ブランドのファッションショーなども開催しているが、この美術館も外国人に大人気で、ここを目的に来日する人も多い。

38 清水三年坂美術館……京都府京都市東山区清水寺門前産寧坂北入清水3-337-1

私の顧客でもある村田製作所創業家の村田理如(まさゆき)氏が館長を務めるこの可愛らしくも重要な美術館は、明治の工芸の収集に特化している。七宝や漆、金工品などの明治の優れた工芸品は、万博での展示・販売によって海外に流失してしまったものが多く、村田氏は長い間海外オークションで見つける度に買い戻してきた。館所蔵の超絶技巧の自在置物(鉄、銅、銀、赤銅などでつくった写実的な龍、鳥、蝶といった生き物の模型)、濤川(なみかわ)惣助・並河(なみかわ)靖之の七宝、柴田是真（ぜしん）の漆などは、工芸品として当時世界ナンバーワンのクオリティの作品群である。下手をすると見逃してしまいそうな小さい美術館だが、コレクションは膨大……清水寺に参った時に、ちょっと立ち寄ってみたらいかがかと思う。精巧なでき栄えのものばかりなので、日本人の器用さと美意識にきっとため息を漏らすのではないだろうか。

39 相国寺承天閣美術館……京都府京都市上京区今出川通烏丸東入相国寺門前町701

京都観光の東西横綱、金閣と銀閣を傘下にもつ相国寺はとても財政的に豊かなお寺だが、長い芸術保護の寺史、そして管長の有馬頼底猊下（らいていげいか）が大の美術好きということもあり、歴史的にも重要な作品を多く所蔵している。光悦、若冲、等伯、応挙など国宝五点、重要文化財一四五点という豪華さである。

40 正木美術館……大阪府泉北郡忠岡町忠岡中2-9-26

41 藤田美術館……大阪市都島区網島町10-32（現在改築中。二〇二二年リニューアル・オープン予定）

この二館は在大阪の、東洋美術の宝石箱的な美術館だ。正木美術館は所蔵品が約一三〇〇点、そのうち鎌倉・室町時代の水墨画、墨蹟の名品が多くを占めており、伝長谷川等伯「千利休像」や「一休像」などの重要な肖像画も所蔵する。

一方藤田美術館は、私立の美術館の中では国宝、重文作品を最も多く所蔵している美の宝庫で、収蔵品は明治期の大コレクター藤田伝三郎親子が収集した、仏教美術・茶道具・大和絵などを中心とする。藤田美術館は二〇一七年に、老朽化した美術館改築のためにクリスティーズ・ニューヨークにおいて中国書画・青銅器・陶磁器三一点の売立を行い、総額約三〇〇億円を記録、東洋美術の一回のオークションでの史上最高額を記録した。その意味でも二〇二二年のリニューアル・オープンが待ち望まれる、先進的な考えの美術館だ。

42 神勝寺 禅と庭のミュージアム……広島県福山市沼隈町大字上山南91

神勝寺は広島県福山市にある、常石(つねいし)造船の創業者神原(かんばら)勝太郎が開いた、その名称も彼の名から取られている禅寺である。そもそもが禅寺なので、当然禅僧がいて、禅の修行体験(風呂で沐浴も可能)もできるが、最近はアート施設としての注目度が高い。

アートと禅の融合場所として開設された神勝寺には、建築家藤森照信氏による寺務所やアーティスト名和晃平氏による「洸庭」という巨大インスタレーション・パビリオンがあり、現代美術へのアプローチを強く感じさせるが、それと対極的に白隠の充実したコレクション(二〇〇点超)もあり、新旧の禅的アート体験ができる。

43 ワタリウム美術館……東京都渋谷区神宮前3-7-6

和多利恵津子・浩一氏姉弟によって運営される、カッティング・エッジな現代美術館。

青山キラー通り沿いの立地、今は地下にあるアート・ショップ「オン・サンデーズ」もこの美術館が人を惹きつける理由の一部だろう。建築もスイスの建築家マリオ・ボッタによるもので、変則的な地形を有効利用した、それ自体アート感溢れる美術館である。先端的現代アートで疲れた頭を休めるカフェも秀逸なので、「行きつけ美術館」にお勧めである。

44 三井記念美術館……東京都中央区日本橋室町2-1-1三井本館7F

古美術を扱う東京の私立美術館では、根津、出光などと肩を並べるラインナップを誇り、茶道具と能面のよいコレクションをもつ。能楽では一番古い家系である金剛家が財政的に困った折、三井家が手助けした縁で金剛家伝来の能面の内、私がこの世で最も素晴らしいと思う面といってもよい「孫次郎(ヲモカゲ)」を含む五四面が三井家に譲られ、三井文庫を経て現在に至る。「ヲモカゲ」は、金剛右京久次(ひさつぐ)(俗名「孫次郎」)が若くして亡くした妻を偲んでつくられたものといわれ、そのふっくらとした面の気品と色気の凄まじい顔は、一度見たら忘れられない印象を残す。また茶道具のコレクション、特に茶碗が素晴らしく、国宝「卯花墻(うのはながき)」や長次郎「俊寛」、光悦「雨雲(あまぐも)」なども必見だ。

45 「鑑賞基礎知識シリーズ」……(至文堂)

至文堂は「日本の美術」という、学者も業者もコレクターも必読のシリーズ書籍を出していたが、二〇一一年に五四五号をもって終刊となった……残念極まりない。雑誌『国文学 解釈と鑑賞』も有名だが、この「鑑賞基礎知識シリーズ」は浮世絵、仏画、水墨画など日本美術の基礎知識を学べるシリーズで、一二冊（二〇二〇年四月時点）出版されている。このシリーズを読めば私などがつべこべいうより、もっと豊富で有用な知識を得ることができる……たとえば掛軸の各部分の名称を何と呼ぶかなど、美術品の周辺事項などの基礎が説かれている。一般の方向けの、すごく参考になるシリーズと思う。

46 辻惟雄『日本美術の歴史』（東京大学出版会）

二〇〇五年に書かれたものだが、日本美術通史本としては、本の体裁のビジュアルも作品選定も含めて充実していて読みやすく、初心者向けのよいつくりになっている。カバーもキッチュな仕上がりで、目に留まる。辻先生は文章が大変お上手なので、「奇想の系譜」シリーズもお勧めです。

47 戸田鍾之助（しょうのすけ）・戸田博『美を見抜く 眼の力』（小学館）

谷松屋戸田商店は、江戸時代から一三代続いている日本で一番古い古美術商で、お茶道具では日本でナンバーワンといっても過言ではない。鍾之助氏は近年亡くなられて、今は御子息の博氏が当主を務めているが、この本では「本当によいお茶道具とは何か」、ということをテーマに、超一級品の茶道具を実見しながら親子で語る。お茶道具屋さんならではの生の声、扱ってこられた数々の名品やコレクターたちのエピソードを聞けるのが楽しい。道具の来歴や使い勝手のよし悪し、またたとえば国宝の茶碗のどこが素晴らしいか、などを実際に商いをしている目線で言葉にしてくれている。戸田親子の解説は、茶道具を「使う」上でのものなので、私などには学者のそれよりもはるかに身近で、分かりやすい。非常に贅沢な、今すぐお茶が一服飲みたくなる、良本である。

48 「別冊太陽」シリーズ……(平凡社)

大判で写真も多いし、監修者もしっかりしているので、特に一般の方に信頼大なシリーズ。特集も各アート・ジャンルに細かく特化しながら、例えば「フリーア美術館」とか「長谷川等伯」、さらには「伊勢神宮」とか「小林秀雄」まで、焦点を絞り込んでいるのが有用。アート好きな人には「江戸絵画が好きだ」という人もいれば、「尾形光琳をもっと知りたい」と思って展覧会に行く人もいるのと同様に、美術本を読む人もアーティスト別だったり、「水墨画」とか「春画」とかのように、テーマを限った一冊を求めたいのではないだろうか。情報は古くなってしまっているかもしれないが、「東京の骨董屋さん」「北海道・東北・関東の骨董屋さん」というシリーズ内シリーズもあって、「美術品を買う楽しみ」も特集される稀有な出版物だ。

49 美術手帖編集部編『現代アーティスト事典』……（美術手帖編集部）

分かりづらい「現代美術」を、著名アーティストの基礎知識から一九八〇年代以降の歴史などを通して触れていくハンディな一冊。本書にも登場するクーンズ、村上、杉本、バスキアなど、一五五名を収録。これを持って現代美術展に臨みたい。

50 山口桂三郎『浮世絵の歴史』……（講談社学術文庫）

最後は私の父親の書いた本で恐縮だが、浮世絵のことを全般的に広く学ぶのにはよいと思う。浮世絵と遊郭、歌舞伎など、当時の社会的事象との関連をきちんと書いてあるのもお勧めだ。父はよく「重箱の隅をつつくように、この絵師は狩野派の誰それの弟子で、どこに住んでいて、ということばかり調べるのではなく、美術史は時代を縦に掘り下げるだけでなく、横に俯瞰しないと分からない」と言っていた。そのとき世の中に何が起きていたか、例えば髪型やファッションなどのトレンドに代表される風俗史学的なことが分からないと、そのアート、特に浮世絵の発生や進化は分からない、ということである。実際に歌麿やその版元蔦屋重三郎などは遊郭に入り浸っていたといわれるし、芸術の誕生は得てしてそういった環境で起こるものだから。

あとがき

「百聞は一見に如かず」とはよく聞く言葉だが、アートに関しては「百聞は実見に如かず」と表現するのが正しいと思う。

今年（二〇二〇）は新型コロナウイルス大流行の関係で、世界中の多くの美術館・博物館が閉じられ、「リモート」での絵画鑑賞や、美術館学芸員による展覧会案内やGoogleミュージアム（Google Arts & Culture）なども活用され、ある意味「アートが家へやって来た」感をもった人もいたに違いない。

そして最近の絵画作品の〝長期記憶〟に関しての調査では、「AR（Augmented Reality：拡張現実）」を使用しての絵画鑑賞の方が、VRや2D写真での鑑賞よりも遥かに、そして何と実物鑑賞よりも人間の記憶に残っている、というデータが出たらしい（ついでにいえば、オークションも「オンライン」や「世界同時配信」の方向へ進んでいる）。

私はこういったデジタル鑑賞がこれから主流になっていくことに異議はないが、それはあくまでも画集やポスターなどの2D複製の代わりにという意味であって、いくら絵の細部やタッチまで細密に観ることができるにしても、もしそのARアートのある場所が美術館ではなく六畳一間のアパートだったら、どうだろう？　いや広いリビングでも興ざめだろう。

アートの鑑賞は、人が五感で感じることが肝要だと思う。人間、アートのある場所、香り、音、光、そんなものすべてが揃い、またそんな要素が一つでも異なると、アートはその顔を変える。そんな時、自分の中に「実地に」鍛えられた美意識があれば、アートはあなたにとってより身近なものになるだろう――そしてそれは、ルーブルの名画を「本物以上のクオリティ」で自分の部屋で観る、ということとは次元の違う話なのだ。この本がその一助になればうれしい。

またこの場を借りまして、諧謔味溢れる素晴らしい推薦文を帯に書いていただいた杉本博司氏、この本の企画・出版をしていただきました平凡社の吉田真美さん、木村企画室の木村隆司さんに、深くお礼申し上げます。

【著者】
山口桂（やまぐち・かつら）
1963年東京都生まれ。クリスティーズ・ジャパン代表取締役社長。京都芸術大学客員教授。立教大学文学部卒業後、広告代理店を経て92年クリスティーズに入社し、日本・東洋美術のスペシャリストとして活躍。日本古美術作品として史上最高額である伝運慶の仏像のセール（2008年）をはじめ、藤田美術館コレクション・セール（2017年）、伊藤若冲作品を擁するプライス・コレクションのプライベート・セール（2019年）などを手がける。18年より現職。著書に『美意識の値段』（集英社新書）。

平凡社新書952

美意識を磨く
オークション・スペシャリストが教えるアートの見方

発行日——2020年8月11日　初版第1刷

著者——山口桂

発行者——下中美都

発行所——株式会社平凡社
東京都千代田区神田神保町3-29　〒101-0051
電話　東京（03）3230-6580［編集］
　　　東京（03）3230-6573［営業］
振替　00180-0-29639

印刷・製本—図書印刷株式会社

装幀——菊地信義

ISBN978-4-582-85952-2
NDC分類番号700　新書判（17.2cm）　総ページ272
平凡社ホームページ　https://www.heibonsha.co.jp/